# 前言

新疆新闻出版东风工程（以下简称"东风工程"）是由国家和自治区统一规划、自治区新闻出版局具体组织实施的一项重要的德政工程和民生工程。继续实施"东风工程"，是中央新时期新疆工作总体部署的重要组成部分，是贯彻落实自治区党委提出的坚持以现代文化为引领，全力推进新疆跨越式发展和长治久安的重大举措。主要任务是加强出版能力建设以各类出版物为载体，向全疆各族群众宣传先进思想、普及科学知识、传播现代文化，建设巩固基层思想文化阵地、满足各族群众基本文化需求、丰富精神文化生活、提升科学文化素养的新闻出版公共服务体系。

免费赠阅出版物是"东风工程"的重要项目之一。项目充分尊重新疆各族人民的意愿，紧扣新疆农牧区及城市社区实际，用维吾尔、汉、哈萨克、蒙古、柯尔克孜、锡伯六种语言文字，组织出版并向基层赠送政经、科技、生活、文化、少儿及其他等六大类别出版物。在内容上，以构建社会主义和谐社会、保障各族群众的基本文化权益为主线，以弘扬"爱国爱疆、团结奉献、勤劳互助、开放进取"的新疆精神为目标，以"贴近实际、贴近生活、贴近群众"为宗旨，以各族群众看得懂、学得会、用得上为原则，力求通俗易懂，图文声画并茂，突出科学性、实用性、知识性和趣味性，努力用新技术、新理念、新知识启迪和拓展各族群众的新思想、新境界、新视野，让新疆各族群众真正共享社会进步文化发展的新成果。

我们期望通过"东风工程"出版物免费赠阅项目的实施，不断扩大各类赠阅出版物的覆盖面和影响力，更好地满足各族群众日益增长的精神文化需求，坚持以现代文化为引领，为推动新疆跨越式发展和长治久安提供精神动力和智力支持。

**新疆新闻出版东风工程领导小组办公室**

# 那些年，
## 我们一起追的女孩

中国出版集团

现代出版社

推荐序一
# 说故事的能力

## 台湾著名词人　方文山

我只能说，有些事，还真的有"天赋"这一回事。

"于是我开始跟墙壁说话，铆起来用原子笔在墙壁上涂鸦留言，一个人跟很有义气却默不做声的墙壁讨论起漫画的连载内容，有时还故意提高分贝，让大家知道即使我身处劣势，还是不停地战斗。"

就这么简单的三行字，就已经淋漓尽致地描绘出主角凡事不按牌理出牌的无厘头个性。九把刀的语汇就是如此引人入胜地牵引着你兴趣盎然地阅读下去，一样是属于文字的探险世界，九把刀在他小说入口处的小径上硬是长着跟别处不一样的羊齿植物。

当李安选择王度庐原著《卧虎藏龙》改拍成电影，而不是采用拥有华人武侠至尊地位的金庸小说，并且得到第七十三届奥斯卡金像奖最佳外语片时，这已经赏了一巴掌似地提醒我们一件事——说故事的能力远比故事本身重要。如果李安是擅长用影像魅力说故事的人，那九把刀就是把文字玩弄于股掌间，熟稔于文字魅力的人。

写作不难，难的是故事题材的寻找；故事题材的构思其实也不难，难的是作者个人的叙事手法有何特殊，也就是说故事的方法跟别人有什么不一样。《那些年，我们一起追的女孩》是一段关于年少轻狂很家常菜的故事，是任何人都拥有过的人生经历，但九把刀却硬是有能力让你花钱去购买他的人生经历，这种特殊的说故事的能力，在暂时还想不出其他合理贴切的形容词时，我们姑且称之为"天赋"。

推荐序二

# 那些年，我们一起追的女孩

## 台湾"可米小子"成员　王传一

学生时代那种青涩的恋情我相信往往是每个人常会想起时莞尔一笑的回忆。现在发现我中学的时候真的是名副其实的暗恋大王，喜欢的女生一堆，可是却没有向任何一个女生表白过。美其名可以说是纯纯的爱，老实说根本就是没种。

想想自己真是没用，但是这种回忆却令人难以忘怀。

"幼稚的我，想让沈佳仪永远都记得，柯景腾是唯一没有在婚礼亲过她的人。我连这么一点点的特别，都想要小心珍惜。我不只是她生命的一行注解，还是好多好多绝无仅有的画面。"

这句话是我在书中印象很深的一段，要是在我以前暗恋过女生的婚礼上发生如此情形时，我也会跟柯景腾一样。虽然一个亲吻并没有什么，但是对一个当初在我心灵中有如女神的女孩来说，那一吻，我希望永远都藏在我心深处。这一路走来，回忆起让人最为感动莫名的，也就是刹那间的真情。

这本书《那些年，我们一起追的女孩》我花了很久的时间才看完，看完的当下，涌上心头的却是满满的温暖。

## 推荐序三
# 欢迎你们
# 和我一起进入九把刀的世界

### 台湾演员、歌手 李威

　　当初会认识九把刀是透过一个知名女艺人的强力推荐，还记得她在说到他的时候，对他的作品如数家珍，介绍得巨细靡遗。看她滔滔不绝地说，脸上的表情就像一个超级女 fans 对偶像的崇拜和欣赏，那时心里就在想：怎么会有如此这号厉害人物而我却毫不知情。在她的强迫和威胁利诱之下，我看了我生平的第一部九把刀的小说：《猎命师传奇》。还记得那时原本不太感兴趣的我，在所有不拍戏的空档里，唯一做的事就是抱着他的书静静地坐在角落埋头苦读，虽然其间不时被那知名女艺人嘲讽，但我却仍然投入在他的文字世界里而甘之如饴。那时被他充满创意的故事背景还有满腔男子汉的武侠热血所深深吸引，也似乎感觉到一代大师倪匡的那股气味，而心里不自觉地讶异着。接下来我又看了他的另一本惊悚类型的作品《楼下的房客》。我心里的那个惊叹号变得更大，怎么会有一个作家可以创造出两种截然不同却同时深深吸引人的作品？于是对这个人产生了莫名的欣赏和高度的期待。

　　没想到竟能有机会为他还没问世的新书写序，更重要的是能比大家更抢先一步看到他的最新作品（这种感觉就像中学时候大家在等最新的《少年快报》而我却比大家抢先一步看到的那种骄傲）。那种兴奋之情是难以言喻的。因为换我可以跟那位知名女艺人炫耀比大家更早沉浸在他的文字世界里，真是面子里子都顾到了。在这里我一定要大力推荐他的这本《那一年，我们一起追的女孩》。对我来说，这又是完全截然不同的新风格，充满了青春无敌的魅力。最特别的是他用自己的故事当成背景，描述他成长过程中的点点滴滴，也似乎跟他一起回到那个每个人都曾有过的美好时光中，时而哄堂大笑，时而默默感伤。爱情是这本书的源头活水，也是最动人的部分。我不想废话太多，因为我说的不是重点，再怎么介绍都不会比你们直接进入他的文字世界来得精彩和感动。当初，是透过朋友的介绍认识了九把刀。现在，换我把九把刀介绍给你们。最后，欢迎你们和我一起进入九把刀的世界。

## 推荐序四
# 被雨困住的城市

### "苏打绿" 乐队主唱　吴青峰

　　这天，我在前往台东的路上开始读一个故事。我很久很久没有离开台北市，而目的不是工作或表演；也很久很久，没有在心里期待，期待天空下一点雨。

　　因为我讨厌下雨。

　　这天，台北和台东同时都下起了雨，好一阵子没有下雨。我前往台东的安养院探望我奶奶，也好一阵子没有见到她，甚至连跟我同行的爸爸和侄女，我也都很久没见到他们了。

　　"安养院"这个名词在我心中没那么亲切，我一直觉得那是个像医院的地方。我在飞机上一边读着九把刀的故事，一边担心、抗拒着预设的情景。

　　但是，故事就这样在眼睛里播放了。

　　下了飞机，爸爸还在跟司机讨价还价，我已经坐上计程车。整个人昏昏沉沉的，车窗的风夹带着牛粪味灌进来，我看着奔跑过的树木和柏油路，又有一点分不清楚来往的现实和梦。我有时候怀疑，难道对其他人来说，当下、梦、回忆是这么容易分辨的三样东西吗？窗外以不一样速度移动的前景和远景，会让我想到某个深夜在仁爱路奔跑时，隔着眼泪看到的景象；坐在台东的安养院里，我会想起奶奶在梨山上拄拐杖摘水果的模样，也会想到正在哭泣的妈妈，但是我分不出来我现在想到的那个场景，是在梦中出现的，还是真的发生过。安养院背后的一条小径，我好像在那儿和我的小学同学追逐过，不过再一眨眼，那可能只是十几年前的回忆跑出来捣乱；念大班的侄女，每次用一种像在偷看带着害羞，又像在瞪人带着生气的眼神看我，偶尔让我胆战心惊，记忆的抽屉就翻出一封，在无聊同学的鼓噪或是起哄之下，基于恼羞成怒，从来没有到达女孩手上的情书。这来来往往的一切一切让我混乱，但是我在这时候把自己寄托在一个故事上。一个，故事上。

于是，除了当下、梦和回忆，现在又多了一个让我混乱的项目：故事，一个真实的故事。

在九把刀的故事里面，我常常不管周遭的人，自己点起头来，并附以一些认同的嗯嗯声；有时候大笑，从别人的眼神里回到现实，再以尴尬掩嘴；大多时候我脑中闪过了片片画面，又快要搞不清楚真实生活和故事了。

例如主角柯景腾是这么写他在故事里面，甄试上大学后的高中生活的：

　　"白天教室里，我开始做一些很奇怪的事，例如在抽屉里种花，把考卷撕成细碎的纸片当雪花到处乱洒在同学头上。此外，我老是在找人陪我到走廊外打羽毛球，流流没有联考压力的汗。"

　　这段让我想到自己甄试上大学的时候，也曾扮演过雪男（相较于雪女）扰乱同学，找人做些无意义的活动。也让我想到自己班上同学，老是在走廊上做些无厘头活动，可是却乐此不疲的生活。

　　有一些部分，让我发现自己也有的一些怪癖，原来是大家都会的行为，就像主角把要尽心机追求女生的感想，跟月亮分享一样：

　　"糟糕，我会不会太奸诈了？"我看着月亮。
　　"不会，你是非常非常的奸诈。"月亮说。
　　"不客气。"我竖起大拇指。

　　原来会对着月亮讲话的不是只有我一个人，而且不约而同地，我们的月亮都会回答我们。

　　在故事里，那些人物就好像在我周遭七嘴八舌着。拿原子笔戳柯景腾背的沈佳仪，好像就坐在我隔壁排；后来莫名其妙改名变身陌生人的李小华，我好像往窗户的方向看就可以看到她；阿和、廖英宏、许博淳……

这些人都在四周，我环视一圈，赖导就从门外走进教室了……最后我似乎和这些故事的人物都混熟了，搞得我像是他们的朋友一样，明明是看故事，却有如听八卦一样关心，关心后续发展，关心其他人怎么想，关心柯景腾会怎么做……他冒雨剪完头发的时候，我可以看见他眼神里的臭屁，转身的得意，但是又不得不承认那股帅劲；他看见沈佳仪嘴唇上印着一条小白胡，讲"可爱到翻"的时候，完全可以揣摩那句话的语气；格斗比赛的时候，我不经意地露出了惨不忍睹，却想大呼小叫的表情；男女主角最后坦承彼此的错过时，我好像也比所有人更懊恼扼腕，放下故事觉得很闷。我不知不觉就被这些生动的细节缠绕住了。

除了这些生动的描写，他还说了一些很棒的话，他说：

"分手，只需要一个人同意，但'在一起'，可是需要两个人同时的认可才能作数。恋爱就是要这么不确定才有趣，不是吗？"

在他喜欢的女生希望他念医学院的时候，他的反应是：

"医学院……还有比这种爱情更激励人心向上的吗？死板的父母该清醒一下了，别老是停在恋爱阻挡课业的旧思维，快点督促你们贪玩的小鬼头谈场热血K书

的奋斗式爱情吧！"

我无法列出所有我点头如捣蒜的地方，但有很多话、很多部分都让我深表赞同，就像看到刚刚那段话，自己好像就跟他站在同一条线上，对着那些冥顽不灵的家长说道。

读这个故事的时候，我人在台东的安养院，溺在情境里头，忽然看到《飞鱼》的歌词被引用的地方，竟然不自觉掉了眼泪。我第一次因为自己的歌词被引用，这么深深感动。我一向希望自己歌词的故事不要说得那么清楚，而是让听歌的人解读，在他们手上完成这些故事。而现在我读的，不就是我希望的样子吗？他这样写：

"最近发行唱片的地下乐团'苏打绿'，有首《飞鱼》的歌词很棒：'开花不结果又有什么？是鱼就一定要游泳？'

"没有结果的爱情，只要开了花，颜色就是灿烂的。
"见识了那道灿烂，我的青春，再也无悔。"

对我来说，自己歌词没有写完的故事，在别人的掌心上开了花，颜色就是灿烂的。

读到故事尾声，爸爸要我连同侄女一起出去走走。

我陪着他们，在安养院里转来转去，天空下着一些丝线般的雨，可是太阳却很大，我们从鱼池绕到小桥，从花园弯过卡拉 OK 点唱机，最后我们在一个像是公园，有着一些简单的游乐设施的地方坐下。我好久好久没有跟家人这样相处，我看着爸爸拿着相机，帮他的孙女东拍西拍，一下推秋千，一下压翘翘板，我想起好久好久以前的自己，已经十几年没有拿出亲密、撒娇来面对爸爸的自己。有些回忆遗落着，有时候分不清楚是真是梦，但是这下，我又眼睁睁看见自己站在回忆里的样子。悲伤很像影子，没有人可以让它隐藏淡去，有时候看起来像消失，但是当我在光下，悲伤就很大。孤独也是。感叹也是。

我正在紧张那个剩下一点点就要看完的故事，我担心我没有办法接受最后的模样。由于没有耐性，我已经好久好久没有认真看完一本书，但是在这个被困住的过程中，也已经把自己的感情给葬进去，但是我却没有抚平土壤的能力。这点无来由的悲伤，却在我的嘴角上变成微笑，我看着他们，自己在旁边荡啊荡的，偶尔看看天上的雨丝，偶尔看着他们入神，偶尔隔着眼中的雨滴看着他们想过往的事，想故事中的情节。

我走在爸爸和他孙女的背后，翻索十七年前的回忆。十七，多美丽的数字。十七年前的回忆，几乎都是和梦混杂难分的模糊地带了。阳光和雨也混杂难分，我好久

 推荐序

好久没有这么喜欢一场雨了，我喜欢自己被困在这儿，被雨困住的城市。

《那些年，我们一起追的女孩》。眼前这个六岁的女孩，以后也会这么难懂吧，也会这么精彩吧，我想。

# 前言

五年了，坐在计算机前，头一次找不到写作的坐标。

在连载《猎命师》的几个月里，我一直没有间断过独立故事的创作。《爱情两好三坏》杀手、《少林寺第八铜人》等，创作的幅度持续扩大，依旧不受限于类型的羁绊。

同一时间创作两三个故事已是常态。在这样不断的自我训练下，所谓的"写作风格"对我来说已是奇怪的名词。我的大脑就像一排闪着红灯的延长线，上面有好几个电源插座，各自标示着不同故事题材所需的能量。每次开启新的故事，就只是将插头接上插座，啪答一声，便开始了想象力的冒险。

对于一个题材取之不尽的作家来说（好啦！我知道臭屁是我的老毛病），挑选题材最后竟成了烦恼，因为一旦开始了新的创作战斗，就意味着接下来的几个月该放什么情绪、用什么节奏，去调整故事与故事之间的焦距时差。

现在又到了我苦思该写哪个故事的时候。

该轮到哪种题材了？武侠？奇幻？都会？爱情？异想？每一个故事都在大脑的灵感库里敲敲打打，咆哮着放它出去。

"那么容易就好了。"我嘀咕。

故事是我的翅膀，从来就不是我的囚牢。

只要等到对的风，我就可以开始飞翔。

忍不住开始胡思乱想。过去半年发生了很多事，母亲的卧病尤其冲击家里所有成员的生命，我在病床旁打开记忆的门，细细碎碎记录下关于母亲与我年少轻狂的一切。日复一日，就在我用键盘倾倒心酸甜蜜的往事时，一种名为"青春"的洪水再度淹没了我。

"那就写一段关于我们的故事吧。"廖英宏戴上军帽，笑笑。

"是啊，将我们的故事记录下来吧。"许博淳在美国留学，在 bbs 的班板写下。

于是我发现背脊上，悄悄生出了一对翅膀。

"我再想一下。"我搔搔头。因为风还未起。

然后，她捎来了一通电话。

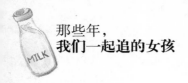
# 1

故事，应该从那一面墙开始说起。

一九九〇年夏天，彰化精诚中学初中部，美术甲班二年级。

一个坚信自己杂乱的自然鬈发，终有一天会通通直起来的男孩，由于太喜欢在上课时乱开玩笑、爱跟周遭同学抬杠，终于被赖导罚坐在教室的最角落。

唯一的邻座，是一面光秃秃的墙壁。

"柯景腾，现在看你怎么吵闹！"赖导冷笑，在讲台上睥睨正忙着搬抽屉的我。

"是的，我一定会好好反省的。"我打包好抽屉里乱七八糟的参考书跟图稿，正经八百挤出一张痛定思痛的脸。

妈的。你们这群忘恩负义的烂同学，我上课不收费努力搞笑，让大家的青春欢乐到疯掉，你们竟然这样对待我！我一边整理新桌子一边在心中干骂。

为了拿到每周一次的"荣誉班"奖状，赖导对上课秩序的要求很高，采取的管理手段也是高规格的"狗咬狗"政策。每个礼拜一，全班同学都得在空白测验纸上，匿名写下上周最爱吵闹的三个人，交给风纪股长曹国胜统计。

每次统计后的黑名单一出炉，被告状最多人次的榜首就要倒大霉，赖导会打电话告诉家长这位吵闹王在学校的所作所为，然后罚东罚西，让常常荣登榜首的我不胜其扰。

　　对于这次我被罚坐在墙壁旁边、近乎孤岛地一个人上课这件事，全班四十五个同学都不认为我会轻易就范，个个都抱着看好戏的心态等待接下来的发展。

　　是的，身为登疯造孽的黑名单榜首，怎么可能被这种不像样的处罚给击倒？

　　"哈哈，现在你要怎么办？"杨泽于拨着头发，黑名单的榜眼。

　　"干。"我很郁闷，带给大家欢笑难道也是一种罪？

　　"喂，说真的，我没有写你喔！"廖英宏指的是黑名单的匿名投票。他本人身为班上的王牌小丑，当然也是黑名单的常客。

　　"我也没写你啊，王八蛋你明明就比我爱闹。"我说。

　　但其实我有写廖英宏，不懂自保就大错特错了，这就是匿名下的白色恐怖，逼得大家泯灭友谊交换恶魔的糖果。而且……我也不相信廖英宏没有写我。

"柯景腾，你现在超可怜的啦，只剩下墙壁可以讲话。"绰号怪兽的郑孟修，是我的好麻吉，家里住鹿港，每天搭校车上下学。

"干。"我比中指。

大家安静上课，我也安静上课，简直毫无创意。

我玩着原子笔，看着右手边的那面墙。

区区一面墙……区区一面墙？只是要给我难看罢了。

"我的青春，可不是一面墙。"我嗤之以鼻。

于是我开始跟墙壁说话，铆起来用原子笔在墙壁上涂鸦留言，一个人跟很有义气却默不做声的墙壁讨论起漫画的连载内容，有时还故意提高分贝，让大家知道我即使身处劣势，还是不停地战斗。

一个礼拜后，跟墙壁说话的我再度蝉联黑名单榜首。

毫无意外。

冷硬的黑板前，赖导气得全身发抖，看着满脸无辜的我。

"柯景腾，你是怎么一回事？干吗跟墙壁讲话！"赖导的额头爆出青筋。

"老师，我已经在好好反省了，我会尽量克制跟墙壁讲话的冲动。"我难为情地抓头，手指在脑袋后面比了根中指，全班同学竭力忍住笑意。

赖导痛苦地闭上眼睛，眼皮底下转着各种压制我的念头，全班屏息以待赖导的大爆炸。当时的我非常享受这样的氛围，幼稚地将这种惩罚对待当作是聚光灯下的骄傲。

　　来吧！赖导！展现你身为名师的气魄！

　　"柯景腾。"赖导深深吐出一口浊气。

　　"是的老师。"我诚恳地看着赖导。

　　"你坐到沈佳仪前面。"赖导睁开眼睛，血丝满布。

　　"啊？"我不解。

　　什么跟什么啊。

　　沈佳仪是班上最乖巧的女生，功课好，人缘佳，是个连女生都无法生起嫉妒心的女孩子。短发，有点小雀斑，气质出众。

　　气质出众到，连我这种自大狂比赛冠军在她面前，都感到自惭形秽。

　　"沈佳仪，从今以后柯景腾这个大麻烦就交给你了。"赖导语重心长。

　　沈佳仪皱起眉头，深深叹了口气，似乎对"我"这个"责任"感到很无奈。

　　而我，恐怖到了极点的黑名单榜首，竟然要给一个瘦弱的女孩子严加管教？全班同学开始发出幸灾乐祸的嘘声，杨泽于甚至忍不住大笑了出来。干！

　　"老师，我已经在反省了。真的！真的有好好反省了！"我震惊。

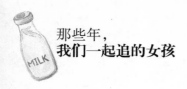
　　"沈佳仪，可以吗？"赖导竟然用问句，可见沈佳仪超然的地位。

　　"嗯。"沈佳仪勉为其难答允，我整个脑袋顿时一片受尽屈辱的空白。

　　于是故事的镜头，从那一面爬满涂鸦的墙壁，悄悄带到沈佳仪清秀脸孔上的小雀斑。

　　我的青春，不，我们的青春，就这么开始。

# 2

坐在沈佳仪的前面是什么感觉？

很俗套的，就如同爱情小说里九十九个公式中的第七十二种老掉牙，相对于沈佳仪的功课优秀，我是个学习成绩很差劲的荒唐学生。

我的数学整个烂到翻掉，肇因于我连负负得正这种基本观念都无法理解，对因式分解……好端端的分解个大头鬼？毫无意外，我的数学月考成绩罕有及格，甚至创下整个一年级数学月考的最高分竟只有四十八分的难堪记录！除了数学，同样需要脑袋的理化也是摇摇欲坠，只要试题稍作变化，我就死给它看。

总括来说，全年级五百多名学生，我常在四百多名游魂似的徘徊。

然而当时我念的是美术班，对于将来要当漫画家这件事可是相当认真，不论上课或下课我都在空白作业本画连环漫画，画的故事还以连载的形式在班上传阅，根本就不在乎学习成绩。不在乎，毫不在乎……

回到那个问题：坐在沈佳仪前面是什么感觉？

我必须痛苦承认……难堪，窘迫，很不自在。

"柯景腾，你不觉得上课吵闹是一件很幼稚的事吗？"沈佳仪在我的背后，淡淡地说出这句话。

"这要怎么说呢……每个人都有自己上课的方式……"我勉强笑笑，答得语无伦次。

"所以你选了最幼稚的那一种？"沈佳仪的语气没有责备，只有若有似无的成熟。

"……"我悻悻然挖着鼻孔，看着她的蘑菇头短发。

"我觉得你可以将时间花在别的地方。"沈佳仪看着我的眼睛。

"……"我本能地觉得微小，将手指拉出鼻孔。

真是太混账了。

沈佳仪若问我，为什么我要扰乱秩序？我便可以哈哈笑回答，我就是坏，坏透啦，但关你屁事啊？

沈佳仪也可以用力责骂我，叫我好好守秩序，不要为她惹麻烦。那么我就可以回敬，管我去死？成绩好了不起啊！

但，沈佳仪偏偏用了"幼稚"两个字。

功课好的学生到处都是，但沈佳仪那种我说不上来的好女孩教养，那种"在我的眼中，你不过是个根本不知道自己在做什么的小鬼"的成熟气质，完全克住我。

克得死死的。

于是我陷入奇怪的困顿。在其他黑名单常客，如杨泽于、许志彰、李丰名、廖英宏等继续捣乱上课秩序逗得大家哈哈大笑的同时，我却因为想开口说个笑话，座位后方就会传来一声"真是幼稚"的叹息，只好抓着头发作罢。

　　我回头，只见沈佳仪清澈到发光的眼睛，毫不回避地看着我。

　　"喂，放心啦，我上课继续吵闹的话，赖导就会把我的位子换开，到时候你就不用烦了啦！"我皱眉，有点烦。

　　"你其实很聪明，如果好好念书的话，成绩应该会好很多。"沈佳仪淡淡地说。

　　简直答非所问嘛！

　　"吼，这不是废话吗？我可是聪明到连我自己都会害怕啊！"我顶了回去。

　　"那就好好用功啊，私立学校很贵的耶！"沈佳仪开始像个老妈子。

　　于是我们就这样聊了起来，以一种"我的人生需要被矫正"的方式。

　　沈佳仪的怪癖就是爱唠叨，明明才十五岁说话却像个死大人，更严重的是沈佳仪竟然会考量未来的事（吼！轻松点！）。而我改不掉的毛病却是幼稚，无可救药的幼稚，对于未来这种前不着村、后不着店的东西，不就是"我总有一天会成为超赞的漫画家"如此简单的事嘛？

　　总之，沈佳仪跟我两人的能量是处于不断正负"中和"的状态，我有预感再这样下去，我一定无法成为一个幽默的人，个性也会越来越压抑，变成一个自大不起来的普通人。糟糕透顶。

　　但无可否认，沈佳仪实在是一个很容易让人感到舒服的女孩，没有让人生厌的好学生架子，功课好也没听她自己提过，尤其在与沈佳仪一来一往的日常对话中，我那份自惭形秽很快就变成多余的情绪。毕竟要遇到这么漂亮又年轻的欧巴桑可是难能可贵。

怎么说沈佳仪是个欧巴桑呢？沈佳仪实在是个无敌啰唆的女孩，我必须一直强调这点。

沈佳仪住在遥远的彰化大竹，但由于搭早班校车的关系，沈佳仪总是到得很早，七点就坐在位子上温习功课。

每天早上我骑脚踏车去学校，摇摇晃晃、睡眼惺忪将早餐摔进抽屉后，总习惯立刻趴在桌子上睡大头觉，但沈佳仪会拿起笔朝我的背轻刺，一刺，再刺，直到我两眼迷蒙地爬起，回过头跟她说话。

"柯景腾，我跟你说，昨天我们家门口来了一只流浪狗，叫小白……"

"……小白？流浪狗怎么会有名字？"

"当然是我们取的啊，哎呀我跟你说，那只小白真的很干净，我妹妹昨天拿东西喂它，它还会摇尾巴……"

"这么懂事的狗，喜欢就养了啊？流浪狗有了名字就不是流浪狗了。"

"不可以啦，我家不可以养狗。"

"你很王八蛋耶，取了名字就要替它的人生负责不是吗？"

"……你这样的想法很幼稚。"

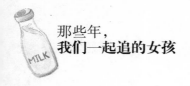
　　沈佳仪总是在七点半早自习开始前，"把握机会"滔滔不绝地跟我说昨天她家发生了什么事，事无大小，鸡毛蒜皮般的小事情沈佳仪都能说得很高兴。

　　有时我会一边吃着早餐一边静静地听她说，有时我会不断吐槽。她喜滋滋地聊着生活小事的模样，常看得我啼笑皆非，原来这么一个努力用功读书的小大人，私底下却是这么爱瞎扯淡。表面上我都装作一副意兴阑珊的模样，好逗沈佳仪更卖力地跟我说这些狗屁倒灶。

　　如果我趴在位子上装睡，让沈佳仪的笔在我的背上骚扰太久，我却依旧无动于衷的话，沈佳仪就会将笔帽拔开，用力朝我的背突刺，痛得我不得不大惊转身。

　　"你干吗睡得这么死，昨天熬夜了？"沈佳仪收起笔，眼中没有一丝愧疚。

　　"靠，很痛耶！刺这么大力要死。"我抱怨，真的很痛，而且原子笔还会在我的白色制服上留下丑丑的蓝点。

　　"熬夜是念书吗？你的眼睛都是红的。"沈佳仪又是欧巴桑的口吻。

　　"我念书的话你们这些好学生还有得混吗？当然是熬夜画漫画啊。"我揉眼睛。

　　"对了，你昨天有看《樱桃小丸子》吗？真的好好笑，小丸子的爷爷樱桃友藏……"沈佳仪兴冲冲地开启话题。

　　常常我一边啃着馒头加蛋，一边看着沈佳仪说话的样子，心中不禁升起异样的感觉：像沈佳仪这么优秀的好学生，竟然老是巴着我——一个从任何角度看都很糟糕的坏学生进行"晨报"，真是滑稽至极。更令我沾沾自喜的是，我越是吐槽回去，沈佳仪就越是再接再厉。

后来，沈佳仪便养成跟我在自习课上聊天的坏习惯，聊天的内容从地理课老师的上课方式到慈济功德会的大爱精神，无所不包。

跟好学生聊天有个好处，就是风纪股长在登记吵闹名单时，会不由自主地回避掉同样爱讲话的好学生，欺恶怕善可是风纪股长曹国胜的典型。

于是我们肆无忌惮地聊，我跟沈佳仪就这么成为很不搭称的朋友。


不管是现在或是以前，成绩绝对是老师衡量一个学生价值的重要标准。

一个学生，不管具备什么特殊才能（绘画、音乐、空手道、弹橡皮筋等），只要成绩不够好，都会被认为"不守本分"，将心神分给了"旁门左道"。反之，一个成绩好的学生，只要在其他领域稍微突出一点，就会被师长认为"实在是太杰出了，连这个也行！"，放在手掌心疼惜。

吾校精诚中学当然也不例外。

针对月考成绩，本校设立了一个名为"红榜"的成绩关卡，月考成绩名列全校前六十名的好学生可以排进

所谓的红榜，这些人的名字会用毛笔字写在红色的大纸上，贴在中廊光宗耀祖。"你这次差几分就可以进红榜？"也变成同学间相互询问的等级划分。

每个班级进入红榜的人数象征一个班级的"国力"，也代表一个班的"品牌"。占据红榜的人数越多，赖导脸上的笑容就越灿烂，其他的科任老师也与有荣焉。

"如果这次红榜的人数全年级第一，放假的时候，老师就带你们到埔里玩。"国文老师周淑真一宣布，全班欢声雷动。

红榜啊……关我屁事。

虽然不关我屁事，但我念的是美术资优班，美术是虚幻的形容词，资优班是名词，所以我们班很会念书的同学非常多，每次月考结束后点点红榜的人头数目，总是在全年级的前三。这次要冲进第一，也不会是什么奇怪的事。

"进红榜啊……请问成绩优秀的沈佳仪同学，你曾经掉出红榜过吗？"我拿着原子笔当麦克风，装模作样地放在沈佳仪面前。

"不要那么幼稚好不好？"沈佳仪成绩超好，常常都在全校前十名。

"吼，你很臭屁喔！你每天到底都花几个小时在念书啊？"我反讥。

"柯景腾，如果你每天都很认真念书，一定也可以进红榜。"沈佳仪很认真地看着我。

"我知道啊,我可是聪明到连我自己都会害怕啊。"我嘻嘻笑,一点也不心虚。

关于我没来由的自信,真的就是没来由,一种天生的臭屁气味。

怪兽郑孟修是我当时最好的朋友,家里蛮有钱的样子,每个礼拜都会买最新出刊的《少年快报》,并常常把《少年快报》借我回家看,一起关心超级赛亚人跟弗力札最新的比赛状况。但即使熟稔如怪兽,对我莫名其妙自信这一点也是无法理解。

怪兽住在鹿港小镇,放学后我常一边看漫画一边陪怪兽等校车。

"柯景腾,你最近常常跟沈佳仪讲话耶。"怪兽坐在树下,看着天空。

"嗯啊。"我翻着《少年快报》。

"这样不会很奇怪吗?她都跟你讲什么啊?"怪兽还是看着天空。

他老是看着天空,害我以为老是看着天空的人都有点没脑筋。

"什么都讲啊。"我皱起眉头,继续翻页。

"可是她成绩那么好,怎么有话跟你说啊?"怪兽看着天空,脖子都不会酸似的。

"怪兽。"我没有放下漫画，挖着鼻孔。

"什么事？"怪兽被天空的浮云迷惑住。

"我是个很特别的人。"我说，看着手指上的绿色鼻屎。

"真的假的？"怪兽呆呆地问。

"真的，有时候我特别到连我自己都怕啊！"我将鼻屎粘在怪兽的蓝色书包上。

月考结束，我们已经坐在前往埔里的公车上。

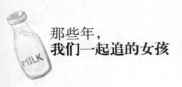
# 3

埔里是个好山好水好空气的好地方。在树林里深呼吸，明显可以感受到肺叶迅速被清爽的空气给膨胀开，然后舍不得吐出似的饱满。

周淑真老师带着班上三十几个臭小孩，大家嘻嘻哈哈走过山涧上的小桥，穿越耀眼的大太阳底，阳光透过摆动吹拂的树叶枝干，在每个人的身上流动着游鱼似的光。

摆脱书本的沈佳仪非常开心，跟黄如君、叶淑莲一路说个没完，让周淑真老师非常讶异平常这么用功的女孩子也有叽叽喳喳的一面。

周淑真老师是个虔诚的佛教徒，领着我们先到埔里山中认识的精舍打坐。

"老师，我们为什么要大老远跑来打坐啊？"廖英宏举手。廖英宏的个子很高，成绩非常棒，却很喜欢在课堂上扮小丑搞笑。幽默感是他珍贵的天性。

"对啊，干什么要打坐？我们不是来玩的吗？"许志彰也颇有不解。许志彰的姐姐许君穗也跟我们同班，许君穗是公认的班上第一美女，而许志彰则是黑名单的常客。

"因为你们平常太吵了，所以要打坐修身养性，反省平常的自己。尤其是柯景腾，平常都靠沈佳仪在管教你，来到山上要特别在佛祖前好好打坐反省。"周淑真老师微笑起来，你也只能认输。

"老师，我这个人一反省起来，连我自己都会怕啊！"我鼻孔喷气。

到了精舍，几个得道高人模样的师父板着脸孔，立刻安排我们鱼贯进入静坐室。

静坐室铺着榻榻米，焚着淡淡的香，里头已经坐了几个据说在进行"禁语禅七"的高尚大学生。整个房间有种自然的肃穆，就像一百公尺深的海底，打禅七的大学生们就像死气沉沉的海草，而我们自是头顶甩着死光泡的灯笼鱼了。

"里面的大哥哥大姐姐在打禅七，你们进去以后不可以出声，不可以睁开眼睛，不可以睡着！我们是客人，不能妨碍师兄师姐的修行。"周淑真老师严肃地告诫。

"安啦老师，我们偶尔也会当好孩子的。"杨泽于笑。

我们脱掉鞋子蹑手蹑脚进去，大家勉强克制平常的活蹦乱跳，在小小的静坐室里盘腿打坐。期间不言不语，不能睁开眼睛，更不知道要打坐到什么时候才算结束，这点尤其令人不耐烦。

坦白说我本来是打算认真好好打坐，但怪兽在我旁边呼噜噜睡着这件事搞得我心神不宁，他摇摇欲坠的身体令我不得不睁开眼，亟欲目睹他轰隆倒下的那

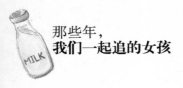

一刻。

我睁开眼，发觉定性很差的廖英宏也睁开了眼睛，我们相视一笑。

"你看怪兽！"我用夸张的唇语沟通，目光着落到怪兽身上。

"把他推倒？"廖英宏转着眼珠子，用夸张的唇语建议。

"不，看我的。"我唇语。

我慢动作脱掉袜子，将爬了一天山路、浸了一天汗水的臭酸袜子放在怪兽的鼻子前。熟睡的怪兽突然眉头一紧，看样子是在梦境中突然撞上了火焰垃圾山。

"啊，好好玩！"廖英宏身子一震，脸上露出快要爆笑出来的表情。

廖英宏有样学样，小心翼翼解开僵硬的盘腿，将长脚伸到专注打坐的许志彰鼻子前，扭动他的臭脚趾。搓搓孜孜。

许志彰的浑然不觉，弄得我忍俊不已。

此时，我跟廖英宏肚子剧烈震动的暗笑声，已经吸引了许多同学睁开眼睛，大家一阵错愕，瞬间都震动起来。

"这样很没品耶！"杨泽于唇语，脸上却笑得很阳光。

"不，这样才叫没品。"我笑嘻嘻解开盘腿，拎着臭袜子，用凌波微步走到许志彰面前，将臭袜子放在许志彰的鼻子前乱拧，将酸气唏哩呼噜挤压出来。

在我跟廖英宏的脚臭夹攻下，许志彰颇不自然地皱起眉头。

"原来如此，善哉善哉。"杨泽于恍然大悟，于是泰然自若解开盘腿，努力伸腿到许志彰鼻子前，使劲扭动臭脚趾。

每个睁开眼睛的同学看了这一幕，全都处于爆笑出来的边缘，连怪兽都醒了。

此时乖乖牌沈佳仪也被周遭奇异的气氛感染，忍不住睁开眼睛，一看到廖英宏与杨泽于双脚伺候，加上我索性蹲在许志彰面前拧臭袜子的模样，沈佳仪噗嗤一声笑了出来。

这一笑，许志彰立刻睁开眼睛，周淑真老师也睁开了眼睛，几个打禅七的师兄师姐也睁开了眼睛。罪过罪过。

我迅速穿上袜子，而廖英宏跟杨泽于那两只来不及收回的臭脚，则尴尬地停滞在半空中。许志彰脸色大变，几乎要破口大骂。

周淑真老师气急败坏地拎着我的耳朵，拖着我们三个捣乱鬼，加上苦主许志彰一同逃出静坐室。

"气死我了，竟然让我这么丢脸！你们在外面半蹲！蹲到大家都静坐完了才结束！"周淑真老师整张脸都给气白，听见身后静坐室传来一阵惊天动地的爆笑声，脸色又是一垮。

"老师，我是受害者啦！"许志彰委屈地说，拳头

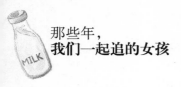

握紧。

"你一定有做什么，不然他们怎么会作弄你！通通半蹲！"周淑真老师怒极转身，不敢再辩驳的许志彰只好跟着蹲下。

夕阳下，廖英宏、杨泽于、我，跟超级苦主许志彰一起半蹲在静坐室外，微风吹来淡淡的绿色香气，坦白说还不算太坏。

"你们刚刚是在玩什么啦！超没品，干吗挑我？是不会挑许博淳喔！"许志彰忿忿不平，气到连呼吸都很急促。

"是柯景腾先开始的。"廖英宏一个慌乱，竟推给我。超小人。

"哪是，我是在弄怪兽，是廖英宏先把脚伸到你的鼻子前面好不好？"我解释。

"都一样啦！是不会挑别人吼！很臭耶！"许志彰半蹲得超不爽。如果挑别人，他大概也会参一脚吧。

"好了啦，反正在里面也是很无聊，在外面至少不用憋着。"杨泽于一派轻松。大而化之的他总是很轻松地面对人生的跌倒。

"对啊，十年后来看这件事，一定会觉得超好笑。"我抖抖眉毛，这是我贯彻始终的处事哲学。

"不用等十年，现在就已经很好笑了。"廖英宏痴痴地笑。只要热闹的事，他总是不肯错过的。

我们四人静静地吹着凉爽的山风，半蹲到累了，干脆坐在地上，百般无聊地玩着长在墙角边的含羞草。含羞草一被手指碰到，叶子就会迅速闭合，个性非常闭塞的一种植物，很有趣。

"对了，许志彰……"我突然在静默中开口。

"什么事？"许志彰。

"这里的空气应该比较新鲜了吧？"我抓着头发。

"干！"许志彰大骂。

我们四个人又同时爆笑了出来。

　

吃过简单的晚饭，我们在精舍挂单打通铺，男生一间，女生一间。晚上山蚊子很凶，两房间门口都点了一大卷蚊香，女生房间还挂有蚊帐。

随便洗过澡，男生房间照例开赌，扑克牌、象棋、五子棋全都可以赌。扑克牌就不必说了，象棋的算法是赌胜方剩下了几颗棋子，就乘以十块钱。五子棋则是单纯的互注，一场二十元起跳。

而我，自信满满铺开了象棋的纸棋盘。

"谁敢跟我下象棋，我输了的话再多赔一倍。"我撂下豪语。原因无他，因为小时候常跟爸爸下棋的我"自认"象棋功力远胜同侪，尽管从没验证过。

此话一出，果然吸引多名同学排队跟我大战象棋。

"太自信的话，会死得很快喔。"许博淳哼哼坐下，

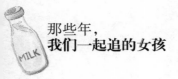

排好阵势。

"吃大便吧你。"我在掌心吹一口气。

大概是我真的蛮强的吧，我的棋力连同无可救药的自信一齐展现在棋盘上，每一局都用最快的节奏解决挑战者，不多久，我的脚边堆满了"悲伤得很隐秘"的铜币。

两个小时过去，就连棋力同样很棒的谢孟学也败下阵来，已经没有人够胆子与我对弈，大家都跑去玩扑克牌赌大老二。

我哈哈大笑，开门去洗手台洗脸清醒一下，准备等会儿开场豪迈的梭哈赌局。我拍拍湿答答的脸，兀自扬扬得意自己的聪明。

沈佳仪正好也走到洗手台，两人碰在一块。

"你们男生那边在做什么，怎么那么吵？"沈佳仪看着正在洗脸的我。

"在赌钱啊。"我小声说，手指放在嘴唇上。

"真受不了。"沈佳仪不置可否的语气。

"还好啦。我超强的，刚刚赌象棋全胜，赢了不少。"我抖抖沾着水珠的眉毛。

"象棋？你们男生那边有带象棋来？那等一下你把象棋拿到女生房间玩好不好？"沈佳仪有些惊讶，似乎也会玩象棋。

"没在怕的啦。"我哼哼。

几分钟后，我已经坐在女生房间里的超大木床上，排开象棋。

所有的女生都围在沈佳仪后面，兴高采烈地看我跟沈佳仪对弈。我们赌的是"赢家剩一个棋子，输家就赔一块钱"，真是小家子气的赌注。

纵使沈佳仪的学业成绩再好，在棋盘上的胜负可不是同一把算盘。很快的，我就以风林火山之锐取得了绝对优势，我打算将沈佳仪的所有棋子一一解决，只剩下孤零零的"帅"，用细嚼慢咽的"剃光头"局面画上句点。

"柯景腾，你今天作弄许志彰的表现，真的是非常幼稚。"沈佳仪摇摇头。

"幼稚的话你干吗笑？"我拄着下巴。

"拜托，谁看了都会想笑好不好！"沈佳仪反驳。

"你还敢说，要不是你笑了出来，我跟廖英宏跟杨泽于怎么会被罚，连许志彰也不例外。到了山上还要被罚半蹲是怎样！"我瞪了沈佳仪一眼。

"强辩，没收你的马。"沈佳仪一说完，竟真的将我的"马"硬生生拔走。

我愣住，这是怎么回事？

"你是疯了吗，哪有人这样下棋？"

"你那么强，被拔走一只马有什么关系，你是不是在怕了？真幼稚。"

"这跟幼稚有什么关系？算了，让你一只马也没差啦，我迟早把你剃光头。"

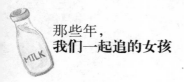
"剃光头？"

"是啊，就是砍得只剩下帅一颗棋。超可怜，哟哟
哟哟，超惨！"

"好过分。"沈佳仪迅速将我的"车"也给拔走，毫
无愧疚之色。

我咬着牙，冷笑，继续用我仅剩的棋子与沈佳仪周
旋。由于我们班女生的脑袋全部加在一起也不是我的对
手，很快我又控制了局面。

"将军抽车。"我哈哈一笑。

"什么是将军抽车？"沈佳仪似乎不太高兴。

"就是如果你的帅要逃，你的车就一定会被我的炮
给轰到外太空。完全没得选择啊哈哈！"我单手托着下
巴，像个弥勒佛轻松横卧在床上。

"你真的很幼稚，连玩个象棋都这么认真。"沈佳仪
叹了一口气，好像我永远都教不会似的……然后伸手没
收了我的"炮"。

"……喂？"我只剩下了苦笑。

经历无奈的半个小时后，由于我的棋子不断被没收，
连屡弱的过河小卒也没放过，最后沈佳仪跟我打成了不
上不下的平手。

女生房间门口，蚊香缭绕。沈佳仪将象棋跟棋盘塞
在我的手里。

"你还说你很强，结果还不是跟我打成平手。"沈佳
仪关上门。

"原来如此。"我有点茫然地看着关上的门，脑子一片空白。


原来如此。

这场棋局，就像沈佳仪跟我的关系。

多年以后，不论我再怎么努力，永远都只能搏个有趣的平手。

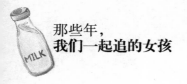
那些年，
**我们一起追的女孩**

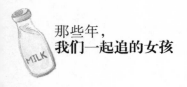
# 4

从埔里回来后，那股象棋风还粘在大家的手上，没有退烧。

于是磁铁象棋组便在大家的抽屉里流传，每到下课就开战，上课就收起。而简单易懂的五子棋也一样，大家在蓝色细格子纸上，用铅笔涂上圆圆的白圈跟黑圈取代黑白子，下课时十分钟就可以对决个两三场，每个人都很热衷。

而"打败柯景腾的象棋"，已经成了班上所有男生同仇敌忾的终极目标。

"从现在开始，观棋不语真君子这句话就当作是屁，你们全部加在一起对我一个吧，别客气。要是让我年纪轻轻就开始自大，我的人生也会很困扰的。"我挖着鼻孔，大言不惭。

众志成城可真不是开玩笑，几天内我就尝到了败绩，害我有些不能释怀。

"这告诉我们人不能太骄傲。"沈佳仪用原子笔刺着我的背，很认真的表情。

"我真搞不懂一群人联手打败一个人，有什么好臭屁的。"我无奈地说。

几天后，赖导宣布了一个可怕的消息。

"大家听好，为了配合新的资优班人数政策，我们美术甲班跟美术乙班，都要从现在的四十五人减到三十人，两班离开的三十人另外成立美术丙班。所以升三年级时我们要用成绩当作标准，留下前三十名。想要继续留在甲班的同学可要多多努力了。"赖导说，眼睛扫视了班上所有人。

此话一出，我可是震惊至极。

自从爱啰唆的沈佳仪坐在我后面起，三不五时就唠叨我要偶尔念书、不然会考不上我想念的台北复兴美工，我的成绩就开始无可奈何地进步。但进步归进步，我可没把握能够留在原来的班级。

"柯景腾，你觉不觉得你会被踢出甲班？"怪兽坐在树下，呆呆地看着浮云。

"踢你个头，顾好你自己吧。"我翻着《少年快报》，心中的不安就像滴在清水里的墨珠，一直渲染扩大。

"其实说不定到丙班比较好，比较没有成绩压力，你就算上课画漫画也没有人管你了。"怪兽建议，看着表。

第二班校车准备出发了。

"闭嘴啦。"我将《少年快报》还给怪兽，烦躁地抓抓头。

就在此时，沈佳仪婆婆妈妈的性格燃烧到了顶点。

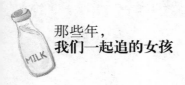

自修课上，沈佳仪的原子笔又狠狠刺进我的背，痛得我哀叫回头。

"你说怎么办？不是早就叫你要用功一点吗？后悔了吧？"沈佳仪瞪着我。

"天啊，又不是你要被踢出去，瞪我做什么？何况怪兽说，我到了丙班就可以整天画漫画了，不见得不好。"我说，但这并非我的内心话。

"地理课本拿来。"沈佳仪皱起眉头，不容我反抗。

"干吗？"

"快一点！"

我将地理课本递给沈佳仪后，大约一堂课的时间，沈佳仪又用原子笔刺我，将书还给我，上面都是各种颜色的萤光笔画线，以及一堆从参考书上节录下来的重点提示。

"画线的这些你通通读熟，月考就没有问题了。"沈佳仪很严肃地告诉我，"然后每天都要算数学，从现在起每次下课我们都来解一道题目。"

"啊？"我又惊又窘，却没有胆子反驳正在为我着想的沈佳仪。

"啊什么？这都是你自找的。"沈佳仪打开上次月考的排名表，指着上面的数据说，"你的英文很好，国文跟历史很普通，地理不好，数学跟理化都很烂，如果不是你笨，就是你根本没在念，要不就是念的方法不对。你觉得你笨吗？"

"什么跟什么啊？"我无法思考，耳根子烧烫。

"柯景腾，你笨吗？"沈佳仪看着我，不让我的眼神移开。

"靠，差远了。"我呼吸困难。

"那就证明给我看。"沈佳仪瞪着我。

我呆呆地看着沈佳仪。突然间，某种很复杂的东西缠上了我心头。

一向眼高于顶、惯于嘻嘻哈哈的我，本应非常排斥这样的窘状。但我知道不能不接受沈佳仪的好意，被当作笨蛋我也认了，因为我无法回避紧紧包覆住我灵魂的那股，严肃的暖意。

我一点都不想离开美术甲班。

如果被踢出去，我一定会被家里骂死，而且沈佳仪就只能找谢明和讲话了。

嗯，非常刻意地带到我生平最大的爱情敌手，谢明和。

阿和胖胖的，像个沉甸甸躺在沙田里的大西瓜，是个生命历程跟我不断重叠的朋友。

打从小学一年级起我跟阿和就一直同班到小学毕业，到了初中也巧合地考进了美术班。我家开药局，阿和他家也是开药局。我对英文老歌了若指掌，而阿和对英文歌曲也涉猎颇丰。我自大，阿和自信。甚至小学六年级时，我们也是喜欢同一个女生。我喜欢跟沈佳仪聊天，阿和也是。

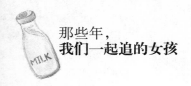

　　我一眼……一眼！一眼就看出阿和很喜欢沈佳仪，而我也严重怀疑阿和同样发现了我对沈佳仪奇异的好感。

　　那时我坐在沈佳仪前面，阿和坐在沈佳仪的右边，座位关系呈现出一个标准的直角三角形。我们两个都是沈佳仪最喜欢找聊天的男生，这个共同点让我坐立难安。

　　我跟阿和共同在小学六年级喜欢的女生叫小咪，就坐在我后面，而阿和正是坐在小咪旁边。小咪很喜欢跟我们聊天。糟糕，就跟现在的情况、队形一模一样。

　　"昨天晚上大家说英语的广播里面，主持人说的那个企鹅笑话我早就听过了，我姐姐说……"阿和笑说，沈佳仪聚精会神听着。

　　阿和在跟沈佳仪讲话的时候，总是非常的成熟，听得沈佳仪一愣一愣的。

　　初中时期的阿和已经可以从汽车谈到电脑，再从电脑谈到国外的风土民情，简直是个小大人。对比阿和的博学多闻，我的幼稚显得狼狈不堪。如果我们三个人聊在一块，久了，就很容易出现我意兴阑珊的画面。最重要的，是阿和这家伙跟我交情长久，是个很不错的朋友，这点尤其让我泄气。

　　于是悲剧发生了。

　　那时我面临踢班压力，放下尊严与沈佳仪在每节下课练习数学解题（其实根本就是被指导），我将数学参考书放在沈佳仪的桌子上，两人反复操作数学式子的答案推演，有时连中午吃饭也放了张涂涂写写的计算纸讨论，一刻都没放过。

记得是堂自习课，阿和百般无聊，提起最近学生间一则乱七八糟的谣言，说有一批僵尸乘舢舨登陆台湾，在中部山区游荡。那个传言在当时非常盛行，甚至上了报章杂志。

"不要跟我说那些，我很胆小。"沈佳仪不悦，阿和立刻识相住嘴。

啊，博学多闻我是没有，但要比吓人跟胡说八道，我可是才华横溢。

"我听说那批僵尸不是一开始就是僵尸的，而是渔民过台湾海峡时被淹死，浮肿的尸体跟着空船……"我说，却被沈佳仪严厉的眼神打断。

"柯景腾，你不要一直说一些我不喜欢听的东西，那个很没有营养。"沈佳仪口气毫无保留。

嗯，果然开始怕了。看我怎么再接再厉把你吓坏。

"由于撞上阴时的关系，那些肿起来的尸体在一上岸的时候就变成了僵尸，在月光下开始朝山里跑，一边吸人血一边傻傻地跑，不知道要跑去哪里。我哥是念彰化初中的，他说晚上还有人看到那群僵尸在八卦山上面跳。没有的事情不会突然被传，一定是有什么……"我越说越起劲，先起了头的阿和当然聚精会神地听着。

"可是也没道理尸体一上岸就会变成僵尸啊？阴时

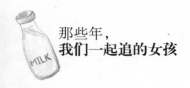
有这么厉害吗？"阿和有些怀疑。

"所以也有人说，是会法术的船东害死了他们，再用茅山法术控制了尸体变成僵尸，没想到后来船东自己也被僵尸咬死，让那些没大脑的僵尸就这样一路吸血逛大街。"我绘声绘影，不时观察沈佳仪纠结的神色。

"这太扯了，是怎么传成这样的啊？再说船东把他们变成僵尸又能干吗？"阿和不解，但已经踏进了我的阴森领域。

"那些我怎么知道，只是很确定的是，海巡的赶到现场的时候有发现船东的尸体，尸体上还有僵尸的咬痕。这些都可以在报纸上找到新闻，假不了的。还有啊，根据那些僵尸跳啊跳的路线，这几天就会经过大竹了……"我故意扯到沈佳仪家住的大竹，让恐惧的氛围更浓重。

只见沈佳仪的脸色越来越难看，我却没有停止胡说八道。

"你自己想办法好了。"沈佳仪突然低下头，将我的参考书轻轻往前推了几公分。

我有些傻住，阿和也尴尬地停止发问。

"喂，我刚刚是开玩笑的，其实那些僵尸没有要往大竹跳啦，应该是沿着中央山脉跳到台湾尾巴啦。"我不知所措，看着低头不语的沈佳仪强自翻案。

但沈佳仪不说话就是不说话，当我是团没营养的空气，自顾温习她的功课。我又说了两句她也没回应，只好悻悻然回到我自己的位子，烦闷地解数学。

接下来的几天，沈佳仪还是对我不理不睬。我本以为再多挨几天就会没事，但沈佳仪的脾气似乎硬到出乎我意料。

每天早上我将早餐摔进抽屉后，照例趴下去装睡，但我的背再也得不到那尖锐的呼唤。沈佳仪完全不跟我讲话，在走廊上错身而过也彼此回避眼神，而我也干脆不再回头，免得接触到沈佳仪冰冷的脸孔。沈佳仪倒是与阿和越来越有话聊，有时声音还大到我不想听清楚都办不到，让我胸口里的空气越来越混浊。

月考越来越近，我的心里却越来越闷，想说干脆被踢到美术丙班算了，就不必再受这种纾解不开的气。

如果时光倒流，我是不可能再扯一次鬼故事强塞沈佳仪的耳朵，但要我事后低声下气道歉，当时心高气傲的我也办不到，毕竟我已错过了道歉的黄金时刻。


"柯景腾，你是不是跟沈佳仪吵架了？最近都没看到你们讲话。"怪兽看着天空。

"靠，你不懂啦。"我也看着天空。

"果然是吵架。你们到底在吵什么架啊？你成绩这么不好，跟沈佳仪怎么会有架吵啊？"怪兽转头看我，大惑不解。

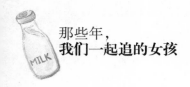

妈的，这是什么狗屁不通的逻辑，亏你的成绩还比我好。怪兽，你再这个样子下去可不行，一定交不到正常的女朋友。

"怪兽，你跟小叮当熟不熟？"我问，翘起二郎腿。

"不熟，干吗？"怪兽呵呵笑。

"帮我借台时光机。"我说，看着云。

再这么看天空下去，迟早我也会变得跟怪兽一样。

日子越来越无趣，每天上学变成了心情紧绷的苦差事。

考前三天，坐在我右后方的阿和拍拍我的肩膀，递给我一张纸条，上面写着："把历史、地理、健教课本拿过来。"是沈佳仪秀丽的字。

我心情复杂，想别扭地不肯照办，但我的手却自动自发解开挂在桌缘的书包，将几本课本高高伸过我的头，让坐在后面的沈佳仪接过。

放学时，沈佳仪经过我的桌子，顺手将那些课本轻轻放在我面前，若无其事地去坐她的校车。我还是没有开口跟她说话，只是将课本打开。

毫无意外的，里面写满了一行又一行的注解，一行又一行的萤光画记。

"是担心我，还是瞧不起我？"我心中百味杂陈。

当时的我，真的很渴望拥有一台时光机。


　　二年级下学期最后一次月考结束，暑假平平淡淡地过去，整个暑期辅导沈佳仪都没有同我说过一句话。我跟阿和说话时，沈佳仪便专注做自己的事，沈佳仪跟阿和说话的时候，我绝对不会回头插嘴自讨没趣。

　　三年级开学的第一天，赖导站在讲台前，拿着一张丙班名单宣布被精简出去的同学，气氛肃杀。我终于忍不住跪在地上，双手靠在椅子上合十祈祷。

　　"你干吗这么幼稚？你根本不会被踢出去。"沈佳仪突然开口，神色冷峻。

　　"为什么？"我茫然。

　　"因为有我帮你。"沈佳仪嘴角有些上扬。

　　赖导念完名单上的学号与名字，果然没有我。

　　没有我，没有我。

　　"恭喜。"沈佳仪咧出笑容，好像我们之间从来不曾尴尬过一样。

　　"……"头一次，我说不出话来。

　　说不出"我一认真起来，厉害到连我自己都会害怕啊！"。说不出"拜托，这种事轻轻松松啦！"。我什么话都说不出口。

　　赖导念完了名单，随即发给大家新的班级学号，以

及安排新的座位。新的座位，意味着我离开美术甲班的破烂原因，也跟着不复存在。

"柯景腾，你坐在沈佳仪前面表现不错，希望你继续保持下去。"赖导颇安慰地看着我，拍拍我的肩膀。

拍个屁，我真想在赖导的耳朵旁边大吼："把我安排到沈佳仪前面或后面、左边或右边，不然我会像个炸弹一样吵个没完！"但没有。

沈佳仪看着我，她右边的位子还是空的。

"你去坐那里吧，从今天开始就要认真拼联考了，你很聪明，拼拼看能不能进红榜，创造奇迹。"赖导指着一个我无法理解的空位，我心中所有期待顿时被掏空。

李小华的后面。

一个开启月老故事的位置。

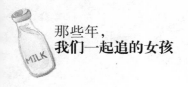

5

初三那年发生了好多事。

华视上演着港剧《鹿鼎记》，梁朝伟演韦小宝，刘德华演康熙皇帝，精彩的剧情逼得我跑到金石堂站着看完一整套原著。

井上雄彦的漫画《灌篮高手》，连载到湘北与海南争夺神奈川在全国大赛的出赛权。三井关键时刻的最后出手，被清田信长的指甲够到、咚咚咚弹出篮框。

张学友的《每天爱你多一些》录音带，让我反复倒转、播放，学起我生平接触的第一首粤语歌。当时的我只承认张学友是世界上唯一的歌神，根本无法想象多年后会有一个叫做周杰伦的奇才，灵异地颠覆我对音乐的想象。

由于甫念初一的弟弟月考成绩优异，我家头一次养了狗（我弟弟的奖品），是只会吃自己大便的博美。这只博美狗虽然有令人无奈的食粪癖，但长得非常俊俏，个性霸气又任性，我们起名为 Puma。后来 Puma 常常舔我的小腿，那又是另一个可爱的故事了。

然后，我遇见了李小华。

"柯景腾，你的数学很好啊。"

李小华第一次转头跟我说话，就用了令我吃惊的句型，加上一个特灿烂的微笑。

"还好吧，你的成绩才超好的。"我说，看着桌上刚刚发下来的考卷。

在沈佳仪的调教之下，这张数学考卷上的分数是九十五，而李小华手中的数学考卷，却只有九十。

但一张平时考的考卷不能代表什么。由于二年级下学期的"开始看书"，我的全校名次从三四百名一路窜升到一百多名，然而李小华的成绩可是跟沈佳仪不分轩轾的程度，俱在全年级二十名左右，在我的眼中都是遥不可及的书虫怪物。

"你这题写对耶！那你教我这题证明题怎么写好不好？"李小华将她的考卷放在我桌上，这动作让我不知所措。

"喂，你是在开玩笑吧？我只是碰巧遇到一张我都会写的考卷而已。"我说。我这假天才居然紧张起来。

"才不是，我早就知道你只是不读书而已。"李小华笑笑，将笔递给了我。

我只好半信半疑地解证明题给李小华看，完全猜不透李小华的脑袋在想什么。解着解着，李小华露出佩服的表情。

坦白说，一个成绩特好的女孩对我露出这个表情，我完全没有一丝成就感，只是觉得莫名其妙……跟难堪。

我远远看着沈佳仪。

阿和那小子居然透过"换位子"的卑鄙动作，跟

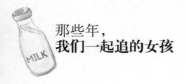
沈佳仪继续坐在一起。可恶，如果我也有那种厚脸皮就好了。

"对了，你这学期的理化参考书买了吗？"李小华打断我的思绪。

"啊，还没，有推荐的吗？"我回神。

"不是啦，我只是想说，如果我们用不同牌的参考书，以后就可以互相解对方参考书上的问题了，这样就可以懂更多，不是很好吗？"李小华从书包拿出她选的理化参考书。

我虎躯一震。

这女孩是怎么一回事？虽然我们同班两年多，所讲过的话加起来不到十句，大多是"借过""谢谢"之类的发语词。但李小华该很清楚我的调调跟成绩才是。

跟我一起交叉使用参考书？简直莫名其妙。

但李小华可是相当认真。

当时理化学的是电学，课本里头全是欧姆、电阻、安培等来自亚力安星球的名词。有次理化考卷一发下来，我又落在凄惨的及格边缘。

然而李小华这个女孩，对我的烂考卷似乎有另一番见解。

"咦，这一题你会喔，教我。"李小华拿着非常高分的考卷，将她错的、我却意外答对的问题拿来问我。

"这个自修上有解答耶，你自己看啦。"我肯定是脸红了。

"如果我看得懂，我就不用问你啦，还是你不想教我？"李小华眨眨眼，看着我。

于是我只好努力压抑羞耻地想撞墙的冲动，教起功课好我一百倍的李小华理化。后来我慢慢知道，所谓的成绩好有很多种原因，"努力用功读书"是最普遍的一种，也是最扎实的一种。而李小华就是这样的类型。

李小华读书没有特别的方法，就是一股傻劲地念，在她的心中却很羡慕别人可以靠天资节省下跟书对话的时间，去做一些更有趣的事。例如……看言情小说。

"柯景腾，你看不看言情小说？"李小华问，转头将参考书放在我的桌子上念。

"看个蛋，光是看到封面我就觉得很倒胃了。"我说，看着自己的理化参考书，上面的笔记密度已经到了我以前绝不敢想象的地步。

我一定是疯了。

"其实言情小说很消遣啊，我姐姐跟我都会看言情小说，喏，这本借你，下礼拜要还我喔。"李小华自己打开我吊在桌缘的书包，小心翼翼地将一本言情小说放进去。

"喔。"我应道，真不知道自己有没有时间看完。

唉，我的自尊心闹别扭，为了应付李小华问我的理化问题，我必须将参考书上的问题反复演练，推敲个中奥妙，确定自己解释问题的方式没有混杂"自我想象"的部分。除了理化，我还得教李小华我最擅长的英文，

为了不漏气，我还买了一堆英文试卷等着写。

天啊，没有"啰唆魔人"沈佳仪的督促，我还是不知不觉变成了书虫。

周末，我在家里快速翻完了生平唯一一本的言情小说，内容大概是一个开着跑车的多金贵公子……好吧，其实我忘光光了。礼拜一到了学校，李小华迫不及待地问我对言情小说的感想。

"怎么样？是不是很好看？"李小华热切地问。

我决定答非所问。

"从现在开始，我讲一个缠绵悱恻的爱情故事给你听。内容超精彩，要抱抱有抱抱，要亲亲有亲亲，要刀光有见血，爱到翻天覆地，杀到血流成河，通通都有。"我竖起大拇指，微笑道，"欢迎来到'宫本勇次又带刀'的世界。"

李小华愣住，殊不知她已经进入我的领域。

"那是什么？听起来很恐怖。"

"一旦我胡说八道起来，连我自己都会怕啊！"

从此每天我都跟李小华说一段日本武士的豪壮恋爱史，让李小华每天都笑到肚子痛。故事主角是一个叫做"宫本勇次又带刀"的日本武士，顾名思义是个随身带刀谈恋爱的硬汉，他曾经在酒醉后跟一头母狼发生关系，生下一个杂种的黄毛小孩（宫本先生酒醒后，还误以为自己好上的是公主）；也曾为了一亲芳泽，跟一整艘海盗船杠上，发生百人斩的壮举（后来宫本先生发现那根本不是海盗船，而是可怜平民百姓的渔船）；宫本为了寻找小孩的生母公主（唉，其实是只母狼），不惜一路捐精卖血上京都。

"不要再说了，你都乱说！"李小华笑得前俯后仰，眼泪都流出来了。

"请不要讥笑宫本先生的热血爱情。"我郑重提醒。

李小华笑起来，眼睛眯成一条细线的模样令我深深着迷。而我随便脱口而出的白痴笑话，则引起李小华对我的好奇心。

在准备模拟考的初三节奏里，自修课越来越多，而李小华也学起以前我跟沈佳仪一起念书的模式，将参考书放在我的桌子上一起念。我想我真的很幸运，遇到的成绩好的女生，都毫无盛气凌人的模样，反而让我对"成绩好"这三个字怀抱温馨的敬意。

当我整天在自己的世界里涂鸦漫画的时候，这些所谓的书虫，将自己的青春无怨无悔地倾倒在课本与参考书之间。每个人推到上帝前的筹码不一样，回收的东西自然也不相同。

这就是努力。

我再也不会看轻跟我朝不同领域努力的人。

联考的压力之下，同侪间的竞争也越来越白热化，自修课班上都很安静。李小华跟我用一张计算纸放在中间，用写字代替说话。比起沈佳仪清丽的字体，李小华的字圆滑许多，而我的随手插画则始终在字里行间滚来

滚去。

"柯景腾，你有没有想过以后要做什么？"

"漫画家吧，可以走进日本的那一种。"

"那你有要念高中吗？"

"我想念复兴美工，可是我爸不会让我去念。你呢？彰女吗？还是越区去考台中女中？"

"彰女吧。"

"你成绩那么好，一定没有问题的。"

"可是我不像你，知道自己以后要做什么。"

"分一点分数给我倒是真的。"

"嘻嘻。今天你还没说宫本勇次又带刀的故事给我听呢。"

在我跟李小华暧昧的那段时间，沈佳仪跟阿和的友情似乎也越来越饱满。

看着沈佳仪跟阿和也在自修课上传纸条的画面，我的心就往下一沉，看见明显也在喜欢沈佳仪的廖英宏常常在下课时跑去找沈佳仪说话，我就心中不痛快。

我知道人不能贪心，但我无法否认心中那份淡淡的遗憾。

而怪兽，则完全无法理解我跟李小华之间正在酝酿着什么。

"柯景腾，李小华最近怎么一直缠着你？"

"缠着我？"

"对啊，看她一直缠着你，你都不会烦吗？"

"……怪兽，你还是专心看你的天空好了。"


初三第一次模拟考结束，成绩公布。

"柯景腾，恭喜你第一次进入红榜，全校第五十九名。"赖导拍拍我的肩膀。

"还好啦。"我腼腆地说。

人真的不能太高估自己的天分，这只会让"努力"这两个字失去应有的光彩。青春里的两个女孩，联手让我认识了这一点……并且拼了命相信，努力就会看见美丽的风景。持续不懈的一流努力，就会看见不可思议的世界。

领了红榜的奖状，回到座位。

"好好喔，真羡慕你的聪明。"李小华回头。

"哪……哪有……"我那没来由的自尊心再度落败。

因为你。

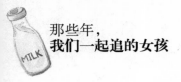

那些年，
**我们一起追的女孩**

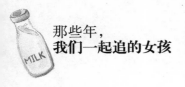
# 6

毫无意外，我喜欢李小华。

非常非常地喜欢。

但说真的，尽管李小华老是对着我笑，但我从来都不知道李小华是不是喜欢我，抑或只是对我抱着强烈的好奇心而已。

分手，只需要一个人同意，但"在一起"，可是需要两个人同时的认可才能作数。恋爱就是要这么不确定才有趣，不是吗？至少我已经完成了我这一半的拼图。

那阵子我每天都充满朝气地去上学，一到学校，停好脚踏车，就迫不及待地从车棚飞冲到教室，有时还会在操场旁的花圃摘下一朵小野花，趁李小华还没有到教室前，将小野花夹在她桌上的透明垫板下，然后等待欣赏她看见小野花的表情。我生平第一首诗，也就出现在小野花旁边的纸条。

笔记本上的对话：

"嘿嘿，你家住哪？"

"干吗？"

"只是好奇而已。"

"我为什么要告诉你？你这么聪明，想知道应该就可以知道啊。"

放学后，我便骑着脚踏车等在校门口，看着李小华的爸爸骑摩托车载她回家。我深呼吸，一踩踏板，疯狂地跟上。

精诚中学跟市区隔了一道坡度陡峭的中华陆桥，平常骑脚踏车上去，屁股都要离开坐垫，使尽全力才不会使自己中途放弃、用牵车的方式解决（精诚中学的毕业生，八成都有一双筋肉纠结的萝卜腿，唉……）。

恋爱的力量真的很不可思议，我一路狂追，无视可怕的坡度，紧咬着李爸爸的摩托车屁股。李小华当然知道我在后面狂追，她偶尔回头嘻笑的表情，仿佛在为我加油打气，让我完全忘却小腿肚的悲鸣。

"等着吧，这点困难怎么可能挡得了我。"

红绿灯下，我气喘吁吁看着扬长而去的李爸爸。

我花了几天，用逐步缩短未知地带的方式，知道了李小华住在哪个区域。那地方距离我家只有五百公尺，以前小时候每天走路去民生小学时都会经过。

"今天你不要再追了啦，每次我看你冲马路的样子就觉得很危险。"

有天李小华放学时，走到正在收拾东西，准备冲向脚踏车车棚的我身边。

"啊？那个还好啦。"我抓抓头，有些不好意思。但手上还是在收拾东西。

"我今天已经跟我爸爸说要自己走路回家了，所以……"李小华的脸红了。

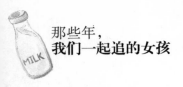
不由自主，我的呼吸暂时停止。


从那美妙的一天起，李小华开始跟我一起牵脚踏车回家。我们靠右边走，我走在外侧，李小华走在里侧，我们中间隔了一台很碍手的脚踏车。

"你想知道我家在哪里，到底是为什么啊？"李小华抿着嘴唇，眼睛在笑。

"知道你家在哪里后，我晚上遛狗就可以去附近走走啊，晚上无聊骑脚踏车乱晃，也多了一个地方可以绕。"我胡说八道，其实我也不知道为什么要知道李小华家住哪里。

"对了，我还是觉得，你一开始认真念书就进红榜，真的很厉害耶。"李小华看着我，语气佩服。

"那个还好啦，你们这些成绩很好的人才真的很厉害，居然可以从初一就开始努力用功到现在……三年耶！我根本没办法想象自己有那种毅力。"我坦白。我的聪明，原来只是一种退缩的惰性。

"你那么聪明，念自然组一定很适合。"李小华突然说。

"念自然组？"我有些讶异。

因为我心中已经暗暗盘算，如果爸不让我考复兴美工、强烈希望我念普通高中的话，我笃定会挑没有物理

70

化学的社会组。

"对啊，你的数学不错，理化也很棒，念社会组太可惜了。"李小华笑笑。

天啊，这其中误会可大了。我的数学是沈佳仪一题一题帮我开窍的，而我的理化更是李小华你自己不断地逼问我一堆电学原理，害我回家只好一直猛K理化参考书，你怎么会一副"柯景腾理化很棒"的表情？

成功路巷口。

"我家快到了，走到这里就好了。"李小华停下脚步。

"不可以送到家门口吗？"我好奇。

"再过去的话，我会生气喔。"李小华有些局促。

"那，明天见啰。"我跨上脚踏车，挥挥手。

"宫本勇次又带刀先生，明天见啰！"李小华笑着挥挥手。

我们一起牵脚踏车回家了几次，每次都送李小华到她家的巷口就止步。我能体会女孩子跟男孩子一起回家，不想被邻居或家人撞见的担忧。

然而我开始受不了那台从中作梗的脚踏车。

于是我早上提前十分钟从家里出发，再将脚踏车停在中华陆桥前，用跑步的方式飞奔到学校，气喘吁吁摘了一朵花，压在李小华的桌垫下，然后写上一首诗，画上一个图。如此一来，我才可以在放学后，跟李小华轻轻松松地走路回家。

同学间也开始察觉我跟李小华间不寻常的气氛。尤

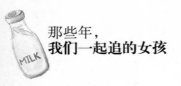

其大家回家的路线都一样，想回家就得经过中华路，所有人都看见我跟李小华肩并着肩一块聊天走路。

"谈恋爱喔！"廖英宏笑骑着脚踏车从我们面前经过，丢下一句。

"你放怪兽一个人等校车是不行的啦！"许博淳也在脚踏车上丢下一句。

"柯景腾，你最近被这样缠住都不会生气喔？"怪兽还是在状况外。

没有了碍手碍脚的脚踏车，我跟李小华就可以用更舒服的步调，选择更幽静的路线回家。然后，嗯嗯，李小华的肩靠我越来越近，她的左手紧紧贴着我的右手。

我的心跳有没有加快，我不清楚，因为我的灵魂已经完全失控。

距离握住李小华的手，只有一个停止呼吸的距离。

"……"我。

"……"李小华。

但我始终没有勇气张开手，牵住她。

两个人就这样假装手没有紧靠在一块，嘴里聊着班上的同学，今天发生的趣事，我的狗，她的姐姐，幻想中的高中生活，以后想过的日子，期待完成的梦想。

但就是没有牵手。

好几天就这么过去，每天早上我都向天发誓，放学一定要牵住李小华的手，但关键时刻到了的时候，我都处于脑袋空白的当机状态，无法更进一步。

我想我是丝毫不值得同情的。

有次下大雨，我们俩一起撑伞回家。

我很绅士地将伞靠往李小华身上，让她不会被大雨淋到，自己却湿了大半边，雨水沿着头发倾坠而下，爬满我的脸。

"我可以……问你一件事情吗？"李小华怯生生地问。

"嗯啊。"我看着她，李小华的侧脸真可爱。

"为什么你都不牵我的手啊？"李小华似乎咬着牙。

"……"我一震，脑中整个混乱。

李小华停下脚步，看着我，她清澈的眼睛毫不放过我的窘态，连眨眼也没有，拼命想要看穿我心思似的专注。

我慌了，竟脱口而出："因为，我不知道你喜不喜欢我。"手足无措。

李小华的身子一震，沉默半晌，两人又继续在大雨中前进。

两人来到陆桥上，看着下面空荡荡的铁轨，天空没有尽头的灰蒙蒙，雨水不断坠落。坠落。

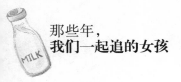
　　"你喜欢的人，是沈佳仪吗？"李小华的声音很细。

　　"啊？"我愣住。

　　"我以前坐在教室后面，常看到你们聊天聊得很开心，我就在想，你们应该会在一起吧。"李小华看着铁轨。

　　没有火车经过，铁轨只是单调的线条。雨水也仅仅是灰色的涂鸦斜线。

　　"才不是那样，我跟沈佳仪只是喜欢聊天的好朋友。"我失笑。

　　"当时我就在想，你一定是个很特别的人，要不然沈佳仪才不会找你讲话。"李小华自顾自说着。

　　"吼，她根本就是欧巴桑好不好，上次她还送我证严法师的静思语语录，要我静下心来念书，天，证严法师耶！念南无阿弥陀佛那个！"我强调，夸张地笑了出来。

　　"……"李小华没有转头看我，只是看着铁轨。

　　"反正，我没有喜欢沈佳仪。"我笃定。

　　"一点点都没有喜欢？"李小华伸手，摸着雨。

　　"沈佳仪是欧巴桑星人。"我超级笃定。

　　就这样。

　　就这样。

　　在对话失焦到沈佳仪身上的过程，我已错过向李小华告白的最佳时机，更没有顺势牵住李小华的小手。

　　大雨一直下一直下，越来越大的雨珠沿着伞缘倾泻在我的脸上。

等到回神，我已经二十六岁。

"一起回家"这四个字，不管在哪个生命历程，都有很浪漫的意义。

"一起"代表这件事一个人无法独立完成，"回家"意味着背后的温馨情愫。

第一次与你一起回家的人，你一辈子都不可能忘记。

十三年后，我闭上眼睛，还是可以看见……

偌大的中华路上，黄昏下，我腼腆地跟李小华牵着脚踏车，天南地北聊天踏步的画面。或微风，或下雨，或晴天，或阴天。

心中会有一股激动，旋又复归惆怅。

只剩下桌上的那把小纸伞，与淡淡泛黄的最后纸条。

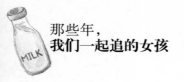
# 7

初三下学期,联考的战斗气息越来越浓厚,所谓的黑名单已经完全失去意义,即使是我也忙着靠用功谈恋爱,无暇在上课中搞笑。

黑板右侧总是写满明后天班级测验的范围,第几课到第几课,或是第几学期到第几学期,不复出现吵闹同学的学号。黑板左侧用红色粉笔涂满怵目惊心的阿拉伯数字,每天都在倒数。

当数字归零,便是我们与联考大魔王决一死战的最后时刻。

"等到联考结束,暑假大家喜欢打多久的篮球就可以打个够本。但在面对联考的关键时刻,我们必须尽一切努力考好。这是人生的第一场战斗,不进则退……"赖导就像每个故事里的刻板角色,理念很古板又欠缺说服力,跟 Brave Heart(《勇敢的心》)里梅尔·吉布森涂着半脸的蓝漆,跨乘战马来回呼啸的讲说差之远矣。

但当时可没有人有闲情逸致去反驳他。集体沉浸在用功氛围里的怨念是很可怕的。

五花八门的测验卷,一捆又一捆地塞在专门搜集考题的大铁柜里,只有赖导跟班长拥有打开铁柜的钥匙。每次铁柜一开,测验卷在几秒内就会飞到每个人的桌上。日复一日，满腹经纶的铁柜变成了大家机械化生活的核心。

我从来没看过铁柜空掉的那一天。

不只是体育课、美术课、音乐课，每一堂课程提前结束的科任课，全都被联考的鬼魅借尸还魂，变成无数堂令时间静止的自修课，每每只听得见原子笔在桌子上打桩似的单调声响。搭搭搭，咚咚咚。

即使是赖导坐镇的自修课，李小华与我也毫不避嫌地挤在一张桌子上念书，互相请教不懂的问题，用最有感觉的"纸笔交谈"模式。

每天早上冲到学校后，我总会先到福利社买一盒牛奶当作招呼，贴心地放在李小华的抽屉里，即使赖导正盯着我看，我也照做不误。我这个人的毛病就是老想硬着干。

而赖导也的确没有用怀疑的眼光审问过我们俩，毕竟我的学业成绩正以相当惊人的速度往上攀升，甚至来到全校二十、三十几名的位置，进入红榜变成家常便饭，令赖导感到"啊，我果然是严格的名师，竟将冥顽不灵的柯景腾拉拔至此！"的安慰，无暇管我发愤念书的动力是不是李小华。

我越来越好的成绩，跟摩西只手劈开埃及红海有异曲同工之妙（哪里像了！），有些同学以强烈的好奇探询我使用哪一牌的参考书，或是在哪里补习等等，才能创造出如此异常的成绩表现。

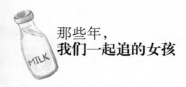
"如果你整天被成绩比自己好十倍的女生问问题，看你会不会抓狂用功念书？"我简单回应，这可是个中滋味。

……然而我暗杠了"但你还得爱上她"这真正的诀窍。

后来赖导汲汲营营为每个人订立模拟考必须进步的名次，并不断重新分派座位，希望能创造出传说中"最适合考生"的完美队形。但不管李小华在我的左边或右边、前面或后面，赖导就是不敢将我与李小华的位置分开，生怕我的成绩就此下滑。

站在私立学校需要固定数量好学生坐镇大学联考榜单的立场，教务处开始一连串说服初中部全校排名前一百名学生"直升本校高中部"的讲座。如果联考成绩超过六百分却选填本校精诚中学，就可以得到每学期补助的一万元奖学金；总分若是低于六百、高过彰化高中或彰化女中，却选填本校直升的人，就可以得到每学期补助的六千块奖学金。

"而且，我们将提供最好的师资给前面两班，这些老师有的是台中大学重考班的名师，有的在彰化补习班执教好几年，口碑不错，保证都是一流的老师……"赖导振振有辞。

其实奖金不算诱人，对于师资好不好大家也不甚了解，但身为全校成绩最整齐的一班，大家共同留在这间学校再当三年同窗的意志相当坚定，毕竟彰化高中是男校，彰化女中是女校，而本校精诚的男女同校才是真正的恋爱王道！

倒是李小华，对于继续留在精诚念书完全不作考虑，这点让我感到很困惑。

"你不考虑留在精诚吗？"我写道。

"不考虑。"李小华。

"如果你瞒着爸妈把奖学金Ａ走，那可是一笔很爽的零用钱啊！"我写道。

"……"李小华。

另一方面，毕业纪念册的制作如火如荼展开，由我与沈佳仪、阿和、杨泽于等人负责。

每到周末假日我们就会到阿和家的客厅讨论，或是干脆请公假到学校的图书馆剪剪贴贴大家交上来的生活照、个人照。而身为美术班，所有科任老师的照片都由我们这群负责毕业纪念册制作的小组，逐一素描完成。

而我，很高兴又有机会跟沈佳仪这欧巴桑星人抬杠，好像我天生就欠教训似的。

"喂，柯景腾，最近我跟博仔回家时都看见你跟李小华走在一起耶。"阿和笑笑，挑选着大家合照的照片。

混蛋，你这个居心不良的家伙。

"对啊，我们家住得很近。"我笑笑写着文案。其实很想对阿和来个飞踢。

虽然我已经有了李小华可以喜欢，但无法就这样否认自己对沈佳仪的好感。

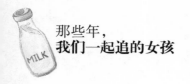
"你们是不是在搞暧昧啊？"阿和不放弃，穷追不舍。

"还好啦。"我对着阿和比了个无形的中指。

当时电脑还是稀有的宝贝，专业臭虫制造公司微软连 Windows 3.1 都还没诞生的原始年代。毕业纪念册的制作完全是手工，得仰赖学校统一发布的格式与标准，兼参照一张字形大小表，以方便厂商后续的打字与印刷。

沈佳仪用铅笔跟尺，在预备粘贴照片的云彩纸上仔细标出每一张照片该在的位置，并细画出每一个字座落的空白方格。我跟杨泽于则专司文案。

"柯景腾，你是不是喜欢李小华啊？"沈佳仪突然开口。

"是啊。"我老实回答。

"你不觉得现在这种年纪，谈恋爱真的是太早了。"沈佳仪古怪地看着我。

"是啊，我也觉得太早了。"阿和附和。

"喔？说来听听。"我不服气的神色，大概无法掩饰。

"你想想，你跟小华现在才十五岁，如果你们现在就在一起了，真的可以一直当男女朋友直到三十岁结婚吗？"沈佳仪大人的口吻，飘忽的眼神。

"为什么不可以？都十五岁的人了，怎么可能还不知道自己喜不喜欢对方？"我说，如果要认真回溯，我可是从幼稚园就开始春心荡漾了。

"就算你们彼此喜欢，但就是不可能一直当男女朋友啊。如果早就知道一定会分手，为什么还要这么早谈恋爱？这样不是很没有意义？"沈佳仪很严肃地说。

"你一定会死，那你为什么不现在就死一死？"我拄着下巴，实在是不爽到极点。

"这根本就是不一样的东西，你真的很幼稚。"沈佳仪叹气。

而即将毕业的我们，不可免俗地开始在桌子底下传递留言册，大家开始重复在好友的留言册里填上自己的兴趣、未来的希望、鹏程万里、百事可乐等老套。

当初在李小华的留言本上写些什么东西，我已不复记忆。只依稀记得在兴趣一栏写上"丢养乐多"，署名"宫本勇次又带刀"，总之没一个正经。

即使我乐于在别人的留言册上瞎搞，但当时我觉得跟所有人做一模一样的事非常倦腻，于是根本没有去书店买美美的留言册让大家写点东西。

"你干吗都不传留言册？我想写你那本耶。"廖英宏推了我的肩膀。

他的留言册被我乱写脏话跟画满身体器官，满脑子都想报复。

"很多人不都是要直升高中部吗？既然以后还会在一起，现在写这些离别的话不是很诡异？"我直说。据我所知，班上至少有一半的人都打算直升。

"话是这样说没错，但你一定会后悔。"许博淳用不适合他的老成口吻说道。

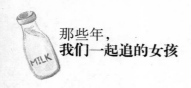

　　"我很认清我自己啦，我小学那本留言册根本怎么找都找不到。我是个无法保管东西的人。"我打哈欠。

　　是啊，无法保管东西的人。

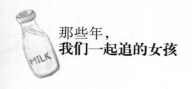
# 8

李小华上课跟我一起念书，下课一起聊天、在学校里散步，放学一起走路回家，两小无猜的相处模式，终于还是出了问题。

"最近她们都说，我没有时间跟大家在一起。"李小华略显忧色，眼睛飘向她们。

所谓的她们，指的自然是班上女生中的一个小团体。

学校里的小团体文化丝毫不奇怪，男生跟女生组成小团体的方式不大一样，贴切形容的话，男生喜欢"凑"在一块，女生喜欢"腻"在一块，而女生之间的联系比男生还要紧密许多，毕竟男生不会相约一起去上洗手间，也不会发生久而久之经期就一起驾到这种事。

"怪兽也这么说啊，可是怪兽很坚强。哈哈。"我笑笑回道。

后来怪兽当然终于明白我喜欢李小华，尽管没能陪他一起等校车，他还是很有义气地借我《少年快报》，中午吃饭还是会跟我一起啃肉粽。怪兽一点也不复杂，纯粹用蛋白质跟漫画制造出来的人。

"不一样。"李小华皱眉，在计算纸写下："她们对我很生气，说我都不重视她们，希望我不要那么常跟你在一起。"

我看了，其实蛮火大的。

我跟班上的女生都颇有交情，不论是初一或初二的毕业典礼表演活动，都是她们十个女生加上我一个男生，代表班上到县礼堂演出。而我当了三年的学艺股长，每次遇到教室布置都是这些女生跟我通力完成，大家都相处得很好，因此毕业旅行时男生里也只有我，才能在女生房间里打一个晚上的牌（跟沈佳仪玩牌可说是限制重重，玩二十一点被强制补牌，玩捡红点分数必须除以二，唉，怎么玩怎么输）。

现在，这群同样是我朋友的人，叫李小华不要那么常跟我在一起，我实在无法理解。是看不惯什么？

"我不懂。"

"总之，最近下课不要来找我。"

我皱眉，只能无奈接受，回头瞪了那群所谓的"她们"。

联考越来越近。

我跟李小华之间模模糊糊地产生无形的距离，这段距离有着说不出的刻意与扭捏，让我无法理解。例如，李小华好说歹说就是不肯让我们的毕业照片摆在一起，后来竟成了我最大的遗憾。

有天放学，我在位子上跟怪兽一起看完了《少年快

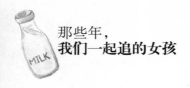

报》后，李小华还在跟那群女生聊天，我看了看表，已经五点半了。

"走吧。"我背着书包，走到李小华旁边，那群女生突然静了下来。

"不了，今天我爸爸会来载我。"李小华的眼睛有些飘移。

我明白了。然后慢慢扫视了那几个女生的眼睛。

"嗯，那我先走了。"我说，神情不太自然。

我快快跟怪兽走到等第二班校车的大树下，重复看着《少年快报》。怪兽知道我心情不大好，却一直很白痴地问我跟李小华到底怎么了。

"没有什么啊，就是给她多一点时间跟朋友相处。"我困顿地看着天空。

这场恋爱来得实在太晚。李小华以后不念精诚了，要去念尼姑学校彰女，我与她可以相处的时间也很珍贵啊，"她们"凭什么要这样剥夺我？

"就这样喔？"怪兽歪着脖子。

"就这样啊。"我打了个哈欠。

"唉，女生就是这样，你别想太多啦。"怪兽拍拍我的肩。

你又懂女生了？我看着怪兽，却没有说出口。

有时候许多关心真的很廉价，但都是出于好意。这样的好意没道理招来冷嘲热讽。

之后情况却没有好转。

接连几个礼拜，放学时李小华都让她的爸爸载回去，与我之间甜蜜的、一路散步回家的习惯，就好像不曾存在过似的。

我很难受，但当时只有十五岁半的我，并不知道该做什么样的反应。

直到某一天，李小华的爸爸终于没空来接她，于是我顺理成章跟她一块走回家。我走着走着，在"再怎么样，也不会比现在的情况更差"的心理暗示下，鼓起勇气，轻轻伸出手。

我的手背，战战兢兢贴向李小华的手背。

"不要牵我。"

李小华没有看我，只是低头。

"我只是……"

我艰涩地说，空气好像变成酸的。

"不要牵我，拜托。"

李小华越走越快。


毕业纪念册终于发到每个人手上的那天。早上，数学课的复习测验结束。

我永远不会忘记，那张跟着交换考卷夹递过来的纸条，跟一把精致的小竹伞。

小华的字。

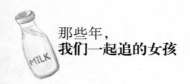
纸条里短短两句话，就像拳王泰森瞄准鼻心的一记左直拳，再加上轰碎下颚的右勾拳。我的灵魂不等教练丢白毛巾，直接摔出脑窍，唏哩呼噜。

我没有哭。至少没有当场流出眼泪。

我的自尊心一向硬可比铁，在灵魂出窍复又回返后，我只感怒火中烧。

"三姑六婆直娘贼，通通去吃大便。"我看着那把小竹伞。

第二天，我剃了一个接近光头的大平头到学校，并且跟同学换了个位置，依照纸条上的只字片语，彻底远离那个并不希望继续跟我接触的女孩。

摊开参考书，我一言不发就开始解题。现在的我，已经被训练成一台效率极高的解题机器。

"怎么了？干吗剃平头？"

沈佳仪也跟同学换了个位置，从左后方直接问我。

我们好久，都没有像以前一样坐在一起了。

"你也在里面吗？"我回看，语气不善。

"什么啊？"沈佳仪不懂。

"嗯，我想你也没那么无聊。"我又回过头，继续写我的题目。

沈佳仪见我心情恶劣，倒也真不敢接话，也不敢笑我的平头是怎么个突发奇想，或是皱眉说我幼稚。

只是从第二天开始，沈佳仪就待在我固定的左后方，慢慢等待我心情缓解的时刻。

然后，我的背又开始出现原子笔的墨点。

实话说，要等我情绪缓解还真有得等，因为我被遗弃得莫名其妙。但多亏沈佳仪又开始刺我的背，硬是逼我听她说五四三，才将我从解题机器的黑暗势力中拉回来。

毕业典礼后的聚餐，在大家往许博淳的脸上乱涂蛋糕的喧闹中结束。我假装兴致盎然地丢甩蛋糕上的奶油，注意到李小华只是静静地坐在餐厅角落，若无其事地吃着铁板烧。

"你真的喜欢过我吗？"我很惆怅。


学校宣布停课，所有班级却默契十足地返校自习。

赖导将永远挤满各种应题范围测验卷的铁柜打开，像红十字会到灾区发送粮食般，把测验卷一捆捆丢到讲台下，让有心变成联考奴隶的任何人随意取用。于是大家在一种高度忧患意识下，一反厌恶写测验卷的常态，纷纷冲到讲台下抓狂似的抢夺考卷，好像联考的题目偷偷藏在里头似的。

在我看来，根本就是一种结构性的疯狂。

返校自习准备联考，我花在跟沈佳仪精神告解上的时间，并不下于我花在书本上的反复阅读。因为我知道自己可以拿到的分数早就超过彰化的第一志愿彰化高中

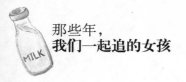
的录取标准，而沈佳仪更不必说了，就算去台北考北一女也没问题。

既然如此，分数高低的意义就只是将别人踩在脚下或是被别人踩在脚下罢了。

"现在可以说了吧？你跟李小华是怎么回事？"沈佳仪突然开始幼稚。

"我喜欢她。"我看着远处的李小华。

李小华的周遭，再度被那群所谓的"她们"给围住，几个女生拼命地将桌上的测验卷写完，然后交换改，然后再写新的考卷，孜孜不倦，不倦孜孜。看得我心烦意乱，很想给她们一人一脚。

我慢慢将事情的始末快速交代一遍，也将纸条上的讯息说给沈佳仪听。

"我想，既然她都这样说了，联考过后一定会好转的。"沈佳仪鼓励我。

"真的吗？"我眼睛一亮。

"她的意思应该是这样吧？你又没真的惹她生气，不要想太多。"沈佳仪笑。

"这样说也对，不过……她要念彰女耶？这样我还有救吗？"我皱眉。

"人生的事很难讲，只是念不一样的学校而已，没什么大不了。你现在要做的就是专心准备考试，不要让她失望。"沈佳仪像个叨叨絮絮的欧巴桑。

"天啊沈佳仪，你怎么有办法把这么大人的话说得这么熟？"我感到好笑。

"她如果觉得你是个禁不起打击的笨蛋，事情就会变得很棘手了。这个年头没有女生喜欢照顾老是一蹶不振的男生。"沈佳仪瞪着我，"那只会让女生觉得自己像个老妈子。"

"不过我真的就是禁不起打击的那型。超脆弱。"我大方承认。

"……你真的很幼稚。"沈佳仪无话可说。


联考结束。

毫无意外，我比彰化高中的录取标准多了四十几分，跟廖英宏、许博淳、许志彰、李丰名、谢明和、杨泽于、曹国胜、沈佳仪等人，一块直升精诚中学的高中部。怪兽联考失利，跑到云林工专，后来渐渐变成我记忆里的，一块很爱看漫画的蛋白质。

"你那么聪明，念自然组一定很适合。"她这么说过。

"是这样吗？"我看着天空。

于是，我硬是选填了我一点也不喜欢的自然组。为了她的一句话。

至于那句话的主人，果然没有直升精诚，到了黑白制服为图腾的彰化女中。

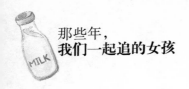

我再没有，跟那位陪我走路回家的女孩，说上一句话。


现在是二○○五年，七月十一号，天气微阴。

下午一点五十四分，我坐着前往台北的自强号列车。再过三个小时，我得赶到出版社签一千本《少林寺第八铜人》给金石堂网路书店与诚品的门市。听着BeeGees的"First of May"，我想这首老歌的氛围应该很符合每一个人的过往时光。

刻意想写点关于小华的东西，尤其这半年来因为妈妈生病的关系，我几乎都待在彰化，每天还是惯性地从她家门前经过。

是啊，只能从她家门前不断经过，不断驻足，再不断经过。

如此而已。

在小华的生命里，我已是个用铅笔画下的，被手指涂抹再三的，一串意义不明的符号吧。

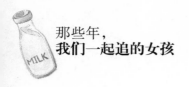
# 9

每个人都有这样的经验。

不意间听到某一首歌，某一段旋律，就会瞬间回忆起某段时光里的自己。或大学，或高中，或看见曾经在自己座位旁，那张用粉笔画下着白线的青涩脸孔。

怪兽在失踪前借我一卷金城武的专辑卡带，里头有一首歌大概是这么唱的："oh ～ my baby，为了什么，相爱总是变成空？因为我爱你不能在分手以后，才将你身影充满心中，因为我爱着你，就不能让你走。因为我爱你，不能在分手以后，才将我的好……"

这首填词痴情到近乎白烂地步的歌，就是我十六岁夏天的主题曲。

升高一的伪暑假，是每间补习班疯狂的"抢人祭"。

我想在台湾任何一个地方，没有一个准高一生逃得过这样的补习班大拜拜，学校门口与书店门口的工读生、派报夹页广告、直接从毕业纪念册抄下地址大剌剌驾到的宣传单上，全都是邀请试听的补习班介绍，并拼命强调去试听就可以拿到一大堆有益大脑的免费讲义、与无益大脑的漂亮笔记本。

许博淳也拉着我，骑着脚踏车一起穿梭在彰化各式各样的补习班里，假借试听之名，寻找我们喜欢的女孩身影。

　　许博淳这个家伙，头很大，后脑勺是垂直扁平的，说话有时会结结巴巴是他的特色，把任何笑话讲到冷掉、馊掉是他悲惨的天分。他是我人生中最重要的几个朋友之一，里头也只有他没有喜欢过沈佳仪，所以许博淳便成了我无话不谈的内裤交。初三时我喜欢上李小华，许博淳喜欢上李晓菁，在互相吐露恋爱的秘密后，我们的结盟关系更形紧密。

　　多年以后我深刻了解到，两个大蠢蛋的结盟，除了坚定彼此的友情，对于爱情的作战可谓一点意义都没有。

　　回到那个充满补习班试听课程的夏天。

　　我们的算盘很简单。基于我们是两个害羞的半熟男孩，不敢打电话将女孩子约出来的那种害羞，所以我们决定调查李小华跟李晓菁在哪间补习班试听，然后持续追踪，最终目标是要跟她们一起上同一间补习班，锁定，死咬着不放。

　　"这样会有用吗？"我狐疑，但没有多作抵抗。

　　"告诉你，绝对有用，至少绝对比你在那边骚扰她家的狗还要有用。"许博淳说得斩钉截铁。

　　"可是她家那只汤姆其实还蛮好玩的，跟我是越来越熟。"我抓抓头，心不在焉看着讲台上说得口沫横飞的补习班老师。

　　"喂，不要帮她的狗乱取名字，你这样会让它搞混……"许博淳，渐渐趴在桌上睡着了。我们醉翁之意

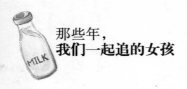
不在好好上课，只要一发现没有李小华跟李晓菁，我们就开始陷入昏睡。

但整个夏天，混账啊我们全都扑了空，平白无故当了两个月的用功好学生。


说到李小华她家那条狗汤姆，真是有够冤的一场奇案。

当初我跟李小华一起走路回家的时候，我们都在她家巷子口前就挥手道别，所以我只知道李小华家大概的位置，却不清楚正确的住家是哪一栋房。

当李小华在联考前夕将我整个踢出她的生命后，毕业纪念册的通讯录就派上了用场。我骑脚踏车，寻着通讯录上的地址"成功路十五号"[1]，来到李小华她家楼下，此后来来回回，一直期待着可以用"偶遇"的方式重新擦出火花。

她家经常都将楼下的门锁住，只有一条将日子过得很无聊的大白狗守着。

"没关系，你无聊，我更无聊。"我蹲着，手里晃着从 7—11 买来的大热狗。

"……"大白狗无聊到丧失不乱吃东西的自觉，张嘴就啃走大热狗。

从此，我们便成了"我买热狗它吃热狗"的忠实伙伴，

而它也有了一个像样的名字,汤姆。我硬取的,它也承认,
比如说……

"汤姆,吃热狗。"我停下脚踏车。

"……"大白狗,不,汤姆坐好。

吃完大热狗的汤姆总是陪着我,驻足在李小华家楼
下,看着二楼透着黄光的落地毛玻璃。我深情款款听着
从里头传来的钢琴声,汤姆则吐着舌头东张西望。

"你从来没跟我说过你会弹钢琴……天,还弹得那
么好。能够喜欢上这么有才华的女生真是太幸福了。"
我感叹,想象着李小华双手轻抚钢琴的模样。

"……"汤姆舔着沾在地上的番茄酱。

"你也一样,李小华也没跟我提到你,大概是你长
得太丑了。不过没关系,只要认真起来你也可以过得很
帅气。喂,你有没有在听!"我睥睨着汤姆。

"……"汤姆自顾自舔个没完。

"对了,再跟你提醒一次,我叫柯景腾,也是你未
来的主人,快点熟悉我的味道吧,以后可要对我忠心耿
耿。"我双手环胸,看着二楼自言自语。

吃得干干净净,汤姆的头磨蹭着我的裤子搔痒。

我蹲下,拍拍它的笨脑袋。

"人家都说擒贼先擒王,我却是从一条狗开始贿赂
起。"我捏着它的大脸,说,"话讲在前头,你吃了我这
么多条热狗,以后有机会我在李小华面前表演跟你很要
好的时候,你可要配合一点,不要让我漏气。"

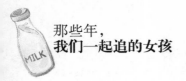
汤姆一直嗅着我，好像想从我的身上找出第二条热狗似的。

"没了啦。"我拍拍它，跨上脚踏车，痴痴地看着二楼的黄色光毛玻璃离去。

夏天刚要过去，随着热狗一条一条消失，我跟汤姆也越来越要好。

每次从李小华家前骑脚踏车离去，我呆呆地看着二楼的脖子仰角，渐渐往下低垂，变成意犹未尽地看着吐着舌头的汤姆，挥挥手，答应它下次会多陪它一点。

"喂，你家主人为什么不理我了？明明联考就结束了啊。"我问。

"……"汤姆还是吃着热狗，这是它唯一的兴趣。

"会不会是我个性太轻浮了……不对啊，我这个人一直都很不可靠，从你家主人一开始认识我的时候就知道我是这种人啊。"我困惑不已。

"……"汤姆淌着舌头。

"难道你家主人，不想把'宫本勇次又带刀'的热血故事给听完吗？后面超精彩的呢。"我越说心里越难过，终于叹气，"谁说十六岁的男孩不懂爱情？那我心中的酸跟苦，又是怎么一回事？"

汤姆当然没有回答，只是用它最擅长的方式陪着我。

快要开学的新生训练结束，有一天，我穿着还没绣上学号的制服经过李小华她家，猛地发现汤姆不见了，它的小狗屋也不见了。

我跳下脚踏车，看见门口铁门拉下，上头贴着一张纸，上面写的话我到现在都还会背："邮差先生，我们搬家了，请不要再将报纸跟信送到这里。谢谢。"

　　瞬间，我的视线无法对焦，思绪一片空白。

　　这是怎么回事？

　　搬家？搬去哪？我手中的热狗怎么办？

　　我十万火急地冲回家，打了通电话给沈佳仪。

　　"沈佳仪，你有听说李小华搬家的事吗？"

　　"怎么？她搬家了啊？"

　　"对啊，我刚刚看到她家楼下贴了一张叫邮差滚蛋的字条，怎么办？我完蛋了，我完蛋了，我跟许博淳还计划印传单到她家附近发说……"

　　"发传单？"

　　"对啊，传单上面就写：柯景腾喜欢李小华。搞得她家附近的人都知道，让她觉得很浪漫。现在全部都完蛋了，地球快要守不住了……"我惨叫。

　　"太夸张了吧，你有那么喜欢她？"沈佳仪的语气有点不以为然。

　　"我完蛋了，完蛋了，我以后都找不到她了……"我十分沮丧，看着塑胶袋里冷掉的热狗，"拜托啦，你帮我打电话给那群臭三八，打听一下她搬去哪里了好不好？"

　　"……"

　　"拜托啦！"我大叫。

　　我很失落，依旧在她家楼下骑脚踏车来来去去绕个

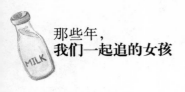
不停。

心里很空，却不知道自己在空些什么。

后来沈佳仪打听清楚，捎来电话，用很确定的语气告诉我一个消息。

"柯景腾，你绝对是弄错了，李小华根本没有搬家。"

"不可能啊，我明明就看到她家楼下贴了一张……"

"我打了好几通电话，大家都说李小华没有搬家，你如果不信可以直接打电话给李小华问啊。还有我告诉你，我问到这边为止了，剩下的你自己想办法解决。"

"这怎么可能……"

我挂上电话，再度绕去李小华她家楼下，半信半疑地研究那张纸条。

纸条或许是假的（跟邮差乱开玩笑？真是太调皮了），但汤姆那么大一只都不见，这就不是开玩笑的。我超疑惑，一抬头，看着门牌发呆。

突然，我虎躯一震。

"这是……××街十五号？不是成功路十五号？"我瞪大眼睛，全身都在发抖。

不用跨上脚踏车，我只是很快地"检查"了附近的民宅门牌，天，这里正是成功路与××路的交叉口，而"正牌的李小华的家"，就坐落在"黑心牌李小华的家"的对面十公尺处，偏偏两个门牌的号码都是十五号！

"未免也太巧了吧，两个十五号……"我傻眼了。

从头到尾都是一场误会，只有天底下最白痴的人才会遭遇的误会。

这里，从来就不是李小华的家。

而汤姆，当然也不是李小华的狗。

而那些热狗……我叹了口气，根本就是错误投资嘛！

我笑了出来，幸好李小华没有搬家，我以后还是可以骑着脚踏车继续在这里晃晃荡荡，当我的爱情的缚灵。而且这次可不会再有误会了，我死盯着李小华她家的门牌，再三确认这间才是道地的正货……

"吁。"我跨着脚踏车，脚一踏，轮子转动。

我如以往回头，却没有看着正牌的李小华家。

我的视线落在汤姆总是坐着、目送我这个热狗大亨离开的老位子。

"汤姆，你这只骗吃骗喝的大白狗去哪里了呢？"

我心好闷，依旧不住地回头。


直到敲着键盘赶杂志连载的此刻，一念及此都还是透不过气。

很多个夏天过去了，每次经过李小华她家门口时，我总是多瞥了一眼，多腾了好些思念，在那个充满误会的地址上。

那里有更多的回忆。

曾经有一只叫汤姆的大白狗，陪着我痴痴听着陌生人弹奏钢琴。

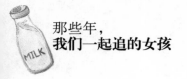

【1】把别人家住址公开写在小说上是不道德的，于此
仅作相似效果的模拟。

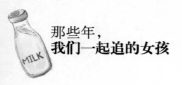
## 10

高中终于开学了。

精诚中学的高中制服,男生是咖啡色的长裤,女生是咖啡色的窄短裙,配上最普遍的白色上衣,蓝色的布书包。分班制则是用一个冠冕堂皇的顺口溜:"忠、孝、仁、爱、信、义、和、平、礼"。

扣掉跑去念彰化女中的同学,我们这些从精诚中学美三甲直升高中部的老朋友,对于继续在同一间学校念书这种事感觉稀松平常,并没有突然转大人的错觉。更何况,我们忠班的导师竟然还是赖导,真是连最后一点新意也被榨尽。

沈佳仪、黄如君跟杨泽于选了社会组,被编到同一班,和班。

其余的人几乎都选念自然组,分别被编进忠、孝两班,但分成两班只隔了面墙,老师差不多都一样,我们打打闹闹的样子也就跟初中时期没太大差别。

我跟阿和再接再厉继续同班,展开一场为期三年惨烈的恋爱角力。

阿和当朋友非常的棒,当情敌则让我不知所措。

可能的话我非常不想讨厌阿和。

如果你讨厌你的情敌,意味着你除了讨厌他,其余的都不能做。这只是证明你样样都不如他，无可奈何之下，只好在情绪上作个敌对。

所以我一直跟阿和维持非常友好的关系，真真诚诚地对待。只是在爱情决胜负的关键上，我们都不曾容过手。

真的是，非常辛苦啊！


多年以后，阿和在彰化一茶栈，坐在我对面，听我说起这段往事。

"柯腾，既然你那个时候就很喜欢佳仪了，为什么还可以一边喜欢小华？"阿和不以为然，他算是个爱情基本教义派。

"这算什么问题？一次喜欢两个女孩有什么好稀奇？很多女生也常常一边喜欢刘德华，一边喜欢张学友啊！"我老实回答，语气满不在乎。

回避情感才是最不正常的事。

人如果无法在心底深处感受灵魂的所有向往，情感才会变得残缺。

真正认识了情感——自己独一无二的情感，接下来会发生什么事，才有"大人的成熟世故"跟"小鬼头的义无反顾"的差别。对我来说是这样。

"哪有这样的？谁跟你一样？"阿和啼笑皆非。

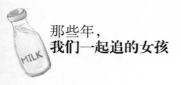
"这种事我能有什么办法，喜欢上就喜欢上了。"我看着胚芽奶茶上的泡泡。

是啊，喜欢上就喜欢上了……

那是个体力很多，多到用不完的傻性青春。

只要精诚一放学，我就踢着许博淳的脚踏车，要他跟我一起冲越坡度很邪门的中华陆桥，飙到彰化女中校门口"观礼放学"。日复一日，日复一日。

校门口，两台脚踏车。

两个无视彰女教官瞪视，汗流浃背的笨蛋。

"我们刚刚闯了几个红灯？"

"两个，还是三个？"

"喂，这样总有一天会出车祸。你什么时候要放弃李小华啊？"许博淳喘着气，让结巴更严重了。

"永远不会。"我上气不接下气，小腿还在颤抖，"你只要注意你的李晓菁就好了，我看我的李小华。"

"我又没有要做到这样，超累的，以后你自己这样冲，我不陪了。"许博淳摇摇头，抓着脚踏车的手都还在抖。

"恋爱就是集体作战啦，这样才有热血。相信我，热血的爱情总有一天会流行起来的。"我竖起拇指，看着李小华从彰女校门口排路队走出来。

李小华看了我一眼，却像是看着空气，一点表情也没有。

"……"我看着越走越远的李小华。

她总是这样无视我的存在，就这样头低低地走路回去，连声招呼也不打。

我被讨厌了吗？她觉得我这种默默站岗的方式很幼稚很笨吗？一想到这个可能，我连心底都会直冒汗。

"认真考虑放弃吧。"许博淳叹气，踢了一下我的脚踏车。

"不要。我这个人一旦努力不懈起来，连我自己都会怕啊！"我咬牙。

踩着落寞的城市夕阳，我们骑脚踏车离去，有一搭没一搭说着话。

"柯腾。有件事我从别人那里听来，你最好深呼吸一下。"许博淳突然停下。

"干吗深呼吸，要讲就快讲。"我皱眉。

"前几天我遇到李晓菁，她跟我说李小华已经改名字了。"他看着我。

"改名字！"我脸色惨白。

"改成李姿仪。姿色的姿，沈佳仪的仪。保重了，换名字只是个开始啊！"许博淳挥挥手，转进他家的巷子。

我呆呆地骑回家，虽不至于太惊讶，但心里还是很难受。

李小华这个名字，让我不知道笑了几次，毕竟真是取得太简单明了了，导致每本参考书都充斥着"小明""小

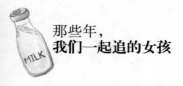
华""小美"这类的名字，让李小华本人也不胜其扰，也曾认真警告我不要取笑她的名字，我只好忍下这一类的玩笑。

现在李小华终于要改名字，非常合理。但我就是一整个不对劲。

"从改名字开始，然后彻底消失在我的生命里吗？"

我在街上不断大吼大叫，直到声嘶力竭后才回到家。

后来我写了一张卡片，压下我昂贵的自尊心，苦苦哀求当初那群以友情为名坑害我的、同样念彰化女中的"她们"，帮我转交给对我视而不见的"李姿仪"；隔天回报的结果是，李姿仪漠然地看完了卡片，接着便当她们的面撕掉，并大发了一顿脾气。

"她说，请你以后不要再写东西给她了！"她们说。

连续几天，我都浑浑噩噩地游尸在学校里。

这算什么，过去的记忆难道都是我被外星人抓去，乱七八糟被机器灌进的假象吗？怎么突然通通不算数了呢？

再也提不起劲去彰女门口站岗，放学后我只是坐在教室里轮着等看最新的《少年快报》，要不就是跟许博淳把玩同学收集的 NBA 球员卡，一整个灵魂空荡。许博淳也被我的负面能量所影响，渐渐地，放弃追同样念彰女的李晓菁。

有时放学后，我跟许博淳会到许志彰他家院子组队打篮球。我们两个都打得很烂，所以总是互相守对方（当我们之间有人拿到球，其他人完全不想插手我们之间笨拙至极的对决），打到筋疲力尽没办法想太多才回家。

总之，我就是无法靠近彰化女中，那里有一道防御自作多情笨蛋的结界。

你问我，只是改了个名字有这么严重吗？

我却无法回避我心中的不舒坦。

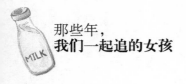
# 11

  电影《侏罗纪公园》有句经典台词："生命会自己找到出路。"

  是不是真的我无法确定，但我相信——人生没有意外。

  某天，我在学校一直瞎混到晚上六点多才背起书包走人，经过一楼某间初中部的教室时，竟看见理应搭乘校车回家了的沈佳仪，一个人在里头看书，旁边还放了一碗吃到一半的干面。

  我大感奇怪，难道是错过了校车吗？又，怎么会出现在初中部的教室？

  "沈佳仪，你是没搭上校车喔？"我直率走了进去，打招呼。

  "……不是。"沈佳仪的脸色有些腼腆。

  "啊？干吗脸红？"我大剌剌坐下，看见沈佳仪的桌上是本数学参考书。

  "我想留在学校念书，学校晚上比较安静，念书的效率高。念完了再叫我妈载我回家。"沈佳仪有些不好意思。

  "哇，这么用功。"我微感惊讶。

  听沈佳仪的口气，好像常常晚上留在学校念书似的。老天，别告诉我傻乎乎的高一就得提早过着冲冲冲的高三生活。

"你呢？你刚刚从彰女那边回来呦？"沈佳仪打趣地看着我。

"别提了，我完蛋了。李小华改了个名字，害我想撞墙。"我靠着墙，翘腿。

"算了吧，反正现在谈恋爱真的太早了。"沈佳仪用笔敲敲参考书，认真地说，"先把课业顾好，才是现在最应该做的事。"

"你一点都没变，死脑筋的欧巴桑。不过你怎么会想到晚上留校念书啊？像这样随便进别人的教室没问题吗？"我伸了个懒腰。

"我姐姐她们偶尔都会这样啊，只是一过六点，楼上教室的铁门就会被校工拉下来，所以我都'借'楼下学弟妹的教室念书，反正都没有锁，校工也没赶过我啊。"沈佳仪理直气壮。

"喔，原来是这样。那你姐姐呢？"我一摊手。

"她跟她的朋友去别的教室啦。反正没有上锁的教室很多间，我喜欢一个人读书。"沈佳仪说。

靠着墙，我看着一公尺外的沈佳仪，有种很温馨的感觉萌上心头。

我们现在不同班了，难得有机会还在同一间教室里，像这样说说话。

"对了，你帮我看看这一题，我解很久都解不出来，看参考书上的解答又跳得太快。"沈佳仪递给我她正在

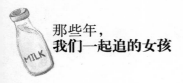
念的数学参考书。

我接过，是 log 指数的章节。

糟糕，恐怕要出糗。

擦着汗，我拿起纸笔开始算了起来，而沈佳仪就在一旁吃面等着，一边跟我说起她们家的零碎琐事，跟她妈妈加入慈济当义工后发生的事情。

隔了许久，我终于拼凑出详尽的计算过程，吁了一口气。

"原来解答是这个意思……参考书省了太多过程了，难怪我会看不懂。"沈佳仪直点头，若有所思地看着我说，"你有没有觉得，高中数学跟初中数学突然变成两种完全不一样的东西？"

"嗯，听你这么一说，好像是吧。"我汗颜，还在愣愣的惊恐后劲中。

"那我以后不会的数学你就帮我看一下吧，以前是我教你，现在如果我的数学变差了，你可要负起责任！"沈佳仪看着我，表情不知道是太过认真呢，还是咄咄逼人？

"……吓不倒我的。"我说，心中隐隐下了个决定。

挥别一个人在学校开教室念书的沈佳仪，我回到家，洗了个澡，随便扒了两口饭，又骑脚踏车回到学校。

沿途都在笑。

原来沈佳仪还是那个样子呢，认真的女孩最可爱，果然一点不假。

糟糕，沈佳仪可以煞到我一次，就可以再接再厉煞到我一百次。

你问我这么晚我回学校做什么？不好意思，从现在起我摇身一变，朝着用功好青年的路上迈进，还兼差保护夜间留校的用功美少女。

脚踏车越骑越快，迅速翻过中华陆桥的大陡坡，迎风滑下。

"是的！我又重新找到人生的意义啦！"我振臂大吼，狂呼，"感谢老天爷赐给我用热恋治疗失恋的烂个性！太棒啦！这真是世界奇妙物语啊！"

地球防卫军！加油！地球又重新拥有了被守护的理由啦！

兴冲冲骑回学校，我径自找了间邻近沈佳仪开的教室附近的一楼教室，打开灯，就这么展开我夜间留校念书的生涯。

我没有跟沈佳仪在同一间教室读书，是因为我相当清楚"一个人独处"的珍贵，那是天生不受打扰的自由，我想沈佳仪也需要。另一方面，我不想让沈佳仪意识到"我蛮喜欢她"，免得还不想谈恋爱的她会排斥我的出现。

就这么静静地陪着她吧，我想。打开数学参考书。

晚上的学校另有一番寂静的面貌。

椰子树旁白色的寂寞路灯，无法细辨从何而来的虫鸣，管乐社断断续续传来的小号练习，篮球场上有一搭没一搭的运球声。

越晚，像样的声音就越少，让我在上厕所的时候都格外惊心动魄。据说前任女校长毕静子矗立在怡心池旁的铜像，到了晚上眼珠子就会开始转动瞪人，混蛋，我一想到就怕。但这次我可不敢跟沈佳仪"分享"这种事，前车之鉴，前车之鉴……

不再毛毛躁躁，我用力地算着数学，这可是关乎我人生的重要课题。

八点十五分，沈佳仪累了，随意走动时发现我在另一间教室。

"你也来啦！"沈佳仪看起来很高兴，走进来，手里拿着一盒饼干。

"嗯嗯，我有点不太放心你一个人晚上这样待着，顺便念点书。"我打了个哈欠，装作稀松平常。

"喔？干吗装体贴。休息一下，一起吃饼干吧，陪我聊聊天。"沈佳仪坐在我前面，将饼干盒放在我的参考书上。是欧思麦巧克力夹心饼干。

我们随意聊了起来。什么都聊，从严肃的人生观到生活小趣事，东拉西扯的，最后不免聊到上了高中之后的生活。我也就此得知，我的一干朋友都各自用自己的方式偷偷追着沈佳仪，吓了我一大跳。

开朗的廖英宏，老是在放学时候跑去和班教室找沈佳仪瞎抬杠；可怕的阿和则是在每节下课都到和班门口找寻沈佳仪的身影，一"巧遇"就猛聊天；颇有文采的谢孟学经常写含意隐讳的诗送沈佳仪；跟我们念不同校的张家训则每个晚上狂打电话给沈佳仪，没有东西讲却硬是不放下电话。

"挖靠，你行情怎么这么好？"我啃着饼干。

"一点都不好，我非常认真想要好好念书。他们这样对我，让我有点不知所措，唉，为什么大家都急着谈恋爱呢？"沈佳仪叹气，是真的叹气。

直到饼干吃完，沈佳仪才笑笑回到自己的教室，她妈妈到九点半便会开车到校门口接她回大竹，她还想赶时间多念一点书。

我依依不舍看着她的背影离去。心想，这将是一场比拟第一次世界大战壕沟战的恋爱，历时至少三年，在沈佳仪考上理想大学以前，谁先露出想追她的嘴脸，谁就会提早出局。

"而我，竟是唯一知道这个秘密的人。"我若有所思。

人生没有意外，我一向坚定信仰这点。我会得知这个重要情报绝对有其意义。

所以，我得到一个不容质疑的作战方针："坚守三年，沈佳仪最好朋友的位置；上了大学后，再一鼓作气告白，赢得全世界。"

我打开空白笔记本，开始画人物关系树状图，拟定粗略的作战计划。

首先，言行举止皆很奇怪的张家训不足为惧，但可以作为我跟沈佳仪吃饼干闲聊的话题。廖英宏很会讲怪笑话，这点跟我差不多，但基本上只需要小心一点即可。

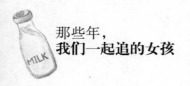
谢孟学成绩非常棒，又会乱写诗，这下我的成绩也不能够停留在"还可以"的状态。最棘手的还是阿和，混蛋啊，沈佳仪聊到阿和的时候神采都会有些不同，让我陪笑得很辛苦，不过没关系，阿和，我会把你诱拐到向沈佳仪表露心迹的死胡同去……

但恋爱的真正胜负不在于别人，而是自己。于是我反省了一下我的内心。

从以前开始，我在沈佳仪面前或多或少，都会有一点不自在。这份不自在从初一开始就一直没能成功摆脱，直到刚刚吃饼干聊天的时候也是一样，聊得很开心，可是我却有些放不开，大刺刺说话的模样有一半是强装出来的。

这是为什么？

我常常会压抑自己流露出喜欢的情绪，即使不经意的眼神也竭力避免。

怕什么？我想到一个名词差可比拟现在的情况，就是"自惭形秽"。

初中的时候，自己在沈佳仪面前的自惭形秽，是因为我对沈佳仪颇有好感，隐隐畏惧沈佳仪会因为我成绩爆烂，兼之上课吵闹而看不起我。

青春期的男生可以在一百个人面前极尽丢脸之能事，还兼扬扬得意——只要其中没有他喜欢的女孩。

青春期的男生可以在篮下被盖一百次火锅，还觉得打篮球是件有趣的事——只要附近没有他喜欢的女孩。

青春期的男生可以因为成绩差劲、上课捣乱、跟墙壁说话，变成某种反其道而行的英雄——只要他不需要坐在喜欢的女孩的前面。

而现在，如果我一直被自惭形秽的迷雾给困惑住，我就不能用完整的自己去喜欢沈佳仪。那样的喜欢，头都垂得低低的，很不是滋味。

"所以，还是得从成绩开始着手啊。"我抓着头，苦笑。

原来从以前一不留神开始用功读书后，我还是得靠用功读书这种"非常退流行""讲出去会被笑"的老步数去追女生。真的是非常健康，老师家长都很推崇的校园爱情啊！

此时，沈佳仪站在外面，轻轻敲着我那间教室的窗户。

沈佳仪的旁边是她念高三的姐姐沈千玉，用一种似笑非笑的表情看着我。

"我妈要来接我了。"沈佳仪歪着头。

"嗯，我再待一下就回去。这里念书的环境出奇的好。"

我说，强忍下想跟她一起去校门口等车的冲动。那样太像"喜欢她"了，我一做，就会被归类到"妨碍她好好念书"的那个笨蛋集团里。

"这本参考书拿去，上面有几题我做了记号，你把解题过程写好再拿来给我。拜托你啰！"沈佳仪说，将参考书放在窗口下的桌子上。

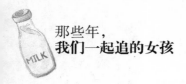

"小意思。"我乱讲。

"还有，别跟太多人说我留校喔，我怕不必要的麻烦。"沈佳仪伸出手。

正合我意啊，傻瓜。

"知道了。"我伸出手，隔空勾勾手。

跟她们姊妹俩挥手道别，我不禁叹气。

……我生命中怎么这么多贵人在督促我念书啊！

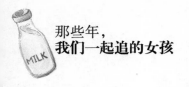
## 12

　　我是个很热血的人，总是莫名其妙把日子过得很热血。

　　为了提供沈佳仪"非参考书版本"的解题过程，我迷恋上狂解数学题目，而我在解答之外的乐趣，就是在纸条上乱写没营养的笑话夹在参考书里，然后下次沈佳仪再将参考书递给我的时候，里面就会有沈佳仪版本的纸条……证严法师的静思语……

　　一来一往的纸上对话，让我每天都过得超有精神，都有一点简单的期待。

　　我通常会在隔天某堂下课时间，跑到社会组的和班教室找沈佳仪，将我辛苦悟出的答案递给她。因此阿和、廖英宏跟我，常常会因为不同的理由，在沈佳仪教室前不期而遇。

　　"那个，柯腾你来做什么啊？"廖英宏的介意全写在脸上，但还是勉强笑道。

　　"来送数学解答的啊。"我笑笑，自信就是要用在这个时候。

　　"什么数学解答啊？"阿和介意到直接伸手拿起我手上的参考书翻翻。

　　看见纸条，阿和脸色一变，廖英宏也突然变得表情怪异。

沈佳仪走出来，笑笑拿回阿和手中参考书。

"都解完了吗？真有效率。"沈佳仪总是一脸阳光。

"下次挑难一点的题目给我啦，我这个人啊，一直解太简单的题目会变笨。"我得意扬扬地说。

"喂，你是说我很笨吗！拜托你以前的数学可是我教的耶！"沈佳仪没好气。

阿和跟廖英宏在一旁看得目瞪口呆，完全不能理解个中奥秘。

于是我挥手离去，并不加入自讨没趣的四人对谈。临走前我颇有深意地看了沈佳仪一眼，贼兮兮地用嘴型说道："真、有、行、情！"令沈佳仪气得一直瞪着我。

"紧张吧你们这些人，越紧张就越藏不住喜欢的尾巴。"我奸笑。

几乎每天晚上，只要没有补习我就会留在学校念书，连晚饭都在学校侧门对街的面店简单解决，有时还会帮沈佳仪买晚餐。

沈佳仪有时自己开一间教室念书，有时跟她姐姐一起窝在同一间教室。

但我总是非常有耐性，我几乎不去找沈佳仪聊天，一个人乖乖地啃书。除了与沈佳仪每天交流的数学研讨外，我常在空荡荡的一楼初中部教室里朗诵英文课文，然后将化学讲义背到熟透，连外星人发明的物理我都因为时间太多太无聊，被迫算了好些题目。

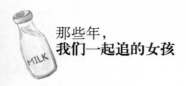

　　然后，当墙上的时钟走到八点的时候，沈佳仪就会带着一盒饼干出现，这时她已不再用原子笔刺我的背，而是直接走到我面前，笑笑坐下。

　　"你有想过以后大学要念什么科系吗？"

　　"还没认真想过，我们现在才高一吧，沈佳仪，你别老是那么成熟。"

　　"订下一个目标，念起书才会特别有意义啊。可是我自己也还不清楚，可能是台大外文吧，但这个答案只是我不知道怎么选所以暂时决定的。你呢？如果要暂时订一个目标的话？"

　　"……你有什么好建议？"

　　"你知道证严法师的慈济医学院快要筹备完成了吗？"

　　"啊？什……什么？"

　　"你可以去念慈济医科啊，花莲有很多需要帮助的人，你一向都很善良，骗不了我的，我觉得如果你去念医科，一定会是个好医生呢。"

　　沈佳仪的眼睛闪闪发亮，但我的拳头可没应景地握了起来。

　　医学院……还有比这种爱情更激励人心向上的吗？死板的父母该清醒一下了，别老是停在恋爱阻挡课业的旧思维，快点督促你们贪玩的小鬼头谈场热血 K 书的奋斗式爱情吧！

　　后来，我无聊到数学参考书上的每一题都演算整整十一遍（这个次数我至今耿耿于怀，不能或忘），英文课文朗诵到都快烧刻在脑纹里。毫无意外，我第一次高中月考就来到自然组全校第九名，英文跟国文都是全校最高分，震惊了我那一群好友、还有持续担任忠班导师的赖导。

但沈佳仪更霹雳，一举拿下社会组第一名，上了司令台从校长手中领取奖状。

"妈的，总有一天我也要上台，跟沈佳仪一起领奖。"我叹气，看着司令台。

那意味着，我可得拼到全校前三名才行啊……如果真有那一天，以我超频太甚的脑力，一定会脑内爆浆，少年中风啊。

由于我常常晚上留校的关系，总是跟我一起骑脚踏车回家的许博淳最早发现了我的异常，后来看在我强烈推荐的"成绩好像可以变好"的分上，许博淳也开始晚上留校念书。

我必须说，这是个关于爱情的故事，却饱满了更多的友情。

许博淳是我求学时期最好的朋友，我们两个大男生之间存在了太多让人张大嘴巴的巧合。就在许博淳决定一起夜间留校后，便发现他最新喜欢的女生，竟然也跟着她的姐姐留在晚上的学校念书。

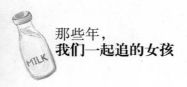

"留校念书真的是……一件非常好的事啊！"许博淳呆呆地看着教室里的她。

"没错，耍帅装酷把妹的时代已经不流行了，现在用功读书才是追求正妹的王道！用功！再用功！"我拍拍许博淳的肩膀，两人都很振奋。

巧合不止如此。某天晚上我们从学校回家途中，许博淳突然想吃点零食，于是我们将脚踏车停在一间叫"三角窗"的家庭式简餐店外，巴望着想吃点东西。

一进去，我们两个眼睛同时发亮。

店里角落摆了一台大型机台游戏机，是有够老旧、属于六年级生的"勇猛拳击"[1]，没有很多粉丝，却让我跟许博淳迷恋不已。勇猛拳击，顾名思义是个格斗对战游戏，如果用右手"拇指加食指加中指"汇聚成一个鸟喙样，在半秒间快速啄两下攻击键，主角就会使出"彗星拳"必杀技，难度非常高，我们几个死党还会拿计算机的按键来比赛，设定"1+1"后，看看谁可以在十秒内连击最多下（最后的数字就是结果）。

"那种机台不是失传很久了吗？"许博淳大惊，虎躯一震。

"没办法了，只好挑他几场！"我赶紧掏出五元硬币，投进机器。

从此我跟许博淳在晚上念完书离开学校后，就会眼巴巴地骑到三角窗，两个人胡乱吃着东西，坐在游戏机前开揍，揍到一毛不剩才离开。

某天晚上，我们口袋的五元铜板特别多，打到老板娘都拿着长钩敲着铁门恐吓，我们才意犹未尽地背起书包走人。

"不行，我们这样一直打电动真的很幼稚，又浪费钱。"许博淳啧啧。

"可是我们才高中，幼稚一点本来就很正常，吼！拜托！"我倒是很乐。

"但也不能太超过，我们来规定一下，只有当我们两个人都在的时候才可以去打勇猛拳击，一个人的时候不行，免得太沉迷。"许博淳正经建议。

"也是，这个游戏很恐怖，程式里头一定有诅咒。"我同意，击掌。

此时，我们在夜风中踩踏着脚踏车，顺着熟悉的"习惯"路线，许博淳陪着我先绕到李小华家再各自回家。我突然有个奸诈的想法。

在"谁先被沈佳仪发现在喜欢她，谁就提早出局"的奇怪作战原则底下，我决定跟这位超级死党分享我的秘密。

"许博淳，你跟阿和也很要好对不对？"我试探性地问。

"对啊。"许博淳。

"尽管如此，我还是决定跟你说一件很酷的事，请你顾念我们的义气，千万不要跟阿和说。嗯？"我伸出手。

"没问题，你爱上了他姐姐吗？"许博淳乱讲，伸

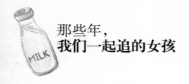
出手。

两人击掌。

"不是，是沈佳仪。"我笑笑，爽快说道。

"……"许博淳有些吃惊的表情。

"你不必跟我说，但我清楚阿和很喜欢沈佳仪对吧！"我哈哈一笑。

"算你对了。天啊，你们干吗一票人都喜欢沈佳仪？"许博淳不解。

"千千万万，不可以跟阿和讲喔。"我微笑，挥手。

我们分开的瞬间，我的脸简直笑到歪掉。

许博淳一向跟阿和很要好，这种恋爱大事是不可能不透露给阿和知道的。我故意跟许博淳泄漏自己的心底事，就是想让许博淳帮我带个话。

认真说起来我可是个狠角色，阿和也该发现我跟沈佳仪的交情非比寻常，如果阿和百分之百确定我喜欢沈佳仪后，一定会加快"追"沈佳仪的脚步。如此一来，这位强敌就会一脚踏进沈佳仪的"绝对禁区"！

"糟糕，我会不会太奸诈了？"我看着月亮。

"不会，你是非常非常的奸诈。"月亮说。

"不客气。"我竖起大拇指。

【1】勇猛拳击第一关是个爱乱跳的黑人，第二关是个蛇形刁手，第三关是个穿紧身衣的胖子，第四关是挥舞铁炼的黑人，最后一关则是自己的分身。在小学时，这游戏可是我跟几个死党间的宝。

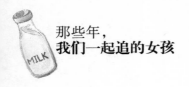

# 13

　　用功读书的日子就这么一天天过去，我的自然组成绩一直都不错，最好的时候若扣掉我一点都没准备的历史跟地理，还曾用力撞到全校第五名。但还是不够资格与始终保持社会组第一名的沈佳仪一起上司令台领奖。

　　不过人太奸诈，真的会遭到报应。

　　寒假到了，高一去了一半。

　　整个无聊的寒假我都忙着准备沈佳仪二月二十三号的十件生日礼物，其中有张四开大小的手绘生日卡片，一篇五千字的落落长作文，甚至包括自己刻一个橡皮印章这种过分勤劳到违反我本性的事，我也忙得不亦乐乎。

　　但只有礼物还不够，我还需要一个无厘头的惊喜。

　　下学期开学那天，是半天课的大扫除。一大早屁股还没坐热，我就写了一张没头没脑的"绝交信"，请许志彰帮我快递到和班给沈佳仪，让她开始提心吊胆的一天。

　　许志彰回到教室，疑惑地问我："你写给沈佳仪的是什么东西，怎么她看了非常紧张，一直问我你到底在生什么气？"

　　此时廖英宏、谢孟学、许博淳、李丰名、杜信贤等人都被我的手势给招呼，围了过来看热闹。

　　"先不要问这个。"我正经八百地拿出一块有够丑的砖头，说，"来，大家拿立可白在上面签名，一起送生日礼物给沈佳仪吧！"

"砖头？"廖英宏狐疑。

"对，就是砖头。呵呵，让沈佳仪硬是带一块有够重的砖头回家，不是很有趣吗？哈哈！而且她一定不会忘记。"我将砖头砰地摆在桌上，拿出立可白。

"亏你想得出来！"大家哈哈大笑，轮流用立可白在砖头上涂鸦。

我注意到阿和的位置是空的。是请假吗？哎哎，砖头上少了你的签名，真是太可惜了。因为我的打算是，让沈佳仪觉得这些人怎么会白痴到送丑不拉叽、又重得要死的砖头当生日礼物，这样就可以凸显出我那些礼物的价值啦！

幼稚，但有效。

看着那些人沉浸在画砖头的快乐中，我不禁感叹这场恋爱未免也太没竞争。

另一方面，为了让沈佳仪有更多的时间在忐忑不安中度过，我一直等到中午放学时才起身。整个上午沈佳仪都派遣杨泽于当信差跑了好几趟，问我到底在恼她什么，甚至还跟我来个语焉不详的苦涩道歉，就是不敢亲自过来看看我。

一切都在我的掌握之中，人生没有意外。

"底牌揭晓。"

我兴致勃勃地拿着一大堆"友情版"生日礼物，走

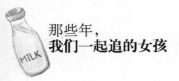
到社会组教室区找沈佳仪，超级想看看她收到礼物时的表情。

"嗨。"我恶狠狠瞪着沈佳仪。

沈佳仪一看到我，整张脸都吓白了，什么话都不敢说。

"哈哈！跟你开玩笑的啦，我根本没有在生什么气，生日快乐！"我很乐，开始展示我用力准备的十样生日礼物。登登！

"天啊！我就知道，我一直想不出来到底什么时候惹到你了！"沈佳仪恍然大悟，气得……气得居然笑了出来。

"是这样的，我个人认为呢，要给你最大程度的快乐，与其让快乐指数从零跑到一百，不如从负一百飙到正一百，这样绝对值是两百整，非常厉害又一辈子忘不了的快乐吧！"我笑笑解释，打开四开大小的大卡片。

"柯景腾，你真的非、常、幼、稚！你会不会太无聊？真的是……快把我吓死了！"沈佳仪骂我的时候，脸上的笑却无法停下来，整个就是开心。

我非常满足地欣赏，沈佳仪研究我刻的橡皮印章的模样。

努力做了一个寒假手工艺的我，在沈佳仪笑出来的瞬间，于记忆的盒子里收藏了一幅美不胜收的画面。那个画面，代表沈佳仪非常重视跟我之间的……友情。

而半天不见的阿和，此时正好从和班里面走出来。

不止如此，还变得很瘦。原本那个胖呵呵像个大西瓜的阿和，竟缩水到连脸颊都陷了下去，几乎变成一个我认不出来的"老朋友"。

后来我才知道，阿和靠着代餐、运动、加上超强的毅力，在短短两个月的时间内非常健康地瘦了下来。可怕的硬汉。

"阿和，你也来送礼物啊？"我说，惊讶地看着变瘦的阿和。

"不是，我的新教室就在这里啊。"阿和指着和班的隔壁教室，平班。

社会组的，平班。

"什么？你转到社会组？！"我张大嘴巴，手中的礼物简直在发抖。

"是啊，自然组我他妈的念不下去。"阿和叹气，两手一摊。

这……这简直就是作弊！

"你别乱啦！"我完全傻眼。

"乱什么？勇伯教的物理我听不懂，想了又想，还是念社会组比较适合我。"阿和又叹了一口气，眼睛却笑得厉害。

最让我棘手的情敌，跟我交情最久的老朋友。

现在变瘦了，作弊似的转班了。

距离沈佳仪，只有一面墙。

我的爱情……

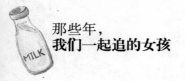

那些年，
**我们一起追的女孩**

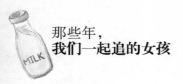

# 14

二〇〇五年十月的今天，正坐在茶水店赶这份杂志连载稿[1]的同时，再度面临被发好人卡的惨况。一时三刻，我与键盘之间有太多的话想要倾注。

每次无法亲近我最珍视的爱情，都有不同的理由。实话说我无意收集各式各样自己被拒绝的理由——那种癖好太悲情，也太变态了。

爱情不是人生的全部，却是我人生的味道。

越是深沉的痛苦，代表我曾经爱得越饱满。

每尝过一次爱情，我都能获得无与伦比的勇气，在跌倒的时候吹拂伤口，然后重新站起。

总是以祈求着"永远在一起"的心意追求喜欢的女孩，是我的爱情之道。正因为如此，当我昨晚对女孩告白时，尽管还是被婉转拒绝了，我依旧能义无反顾信仰着我独一无二的热血爱情。

正在当兵的廖英宏打了通电话安慰我，聊着聊着，廖英宏提到了他与喜欢的女孩花莲、台南两地相隔的苦境。他们小两口仅仅靠着书信、网络、电话，小心翼翼筑起了彼此喜欢的小小期待，却因为一直都没有见过面，感到惶恐与不安。

"柯腾，我现在好烦，远距离恋爱真的很可怕……

我真的很想立刻过去台南找她。我想见她，看着她跟她说说话。"廖英宏的声音，充满害怕失去女孩的焦虑。

"该边，我刚刚突然明白一件事。"我看着刚刚被发好人卡的 MSN 画面，鼻子还酸酸的。

"什么？"

"我们以前在喜欢沈佳仪的时候，可曾因为任何理由退缩过？"

"……没有。"

"如果我用所有的力气拜托你不要跟我争，你会退出吗？"

"不会。因为是沈佳仪。"

"一点也没错。因为是沈佳仪。"

是啊，可曾因为任何理由退缩过？身高？成绩？距离？

每个女孩都是我们人生的烛火，照亮了我们每段时期疯狂追求爱情的动人姿态，帮助我们这些男孩，一步一步，成为像样的男子汉。

我们所要做的，就是再多喜欢那女孩一点。再多一点，再多一点一点。

只要够喜欢，就没有办不到的等待。

就可以一直靠信仰爱情，坚持下去。

"柯腾，我希望可以给这个女孩幸福。"廖英宏的声音再度充满元气。

"不是尽力，是一定要做到。"我握拳，眼泪还是忍

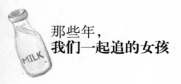
不住落下了。

如果我的爱情回忆在化为一份记录性书写时，有任何的意义，那便是希望每个读着这些故事的男孩女孩，都能从中获得一点点，相爱的勇气。


高一下。

我最在意的情敌阿和变瘦了，又近乎作弊般转到社会组，待在距离沈佳仪只有一面墙的平班，每次下课就随便寻个理由过去和班找沈佳仪聊天。整件事让我非常地头大，也很后悔。如果我他妈的当初没有听李小华的话念"男生就应该念的自然组"，我现在笃定跟沈佳仪同班。

小觑命运大魔王的力量，果然会招来厄运。

不止如此，更惊人的是沈佳仪居然还在长高，这点让只有一百六十四公分的我常常处于迷惘的算盘里。后来，沈佳仪长到一百六十七公分，高了我三公分。

这短短的三公分，后来成为我不断努力想要跨越的屏障。实在是有够累。这种差距让我想起了漫画《H2好述双物语》中，一开始在身高输给青梅竹马雨宫雅玲的国见比吕……

开始莫名其妙处于劣势的我，其实并没有特别的胜算。我所能做的，不过就是继续当好沈佳仪"朋友"的角色，并遵守两个原则：不逾矩、不刻意讨好。而我额外做的，莫过于拼命鼓励周遭朋友前仆后继去触犯这两大原则。

某天放学后，我们一群朋友在许志彰家后院打篮球。

打累了，我跟廖英宏坐在一旁满身大汗瞎聊天。

"廖英宏，我觉得沈佳仪是个好女孩，坦白说，我觉得你跟她很配。"我灌着运动饮料，背靠着院子墙壁。

"啊？然后呢？"

"快追她啊！"

"……那你自己怎么不追？"廖英宏擦着汗，用很古怪的表情看着我。

是啊，我跟沈佳仪密切的"课业交流"，一定引起不少的怀疑。

"说得好，要不是沈佳仪突然长高，加上阿和实在是太厉害的竞争对手，我还真的会追沈佳仪。"我笑笑，看着阿和快步上篮，球进。

混账啊，这家伙甩掉一身肥肉后，上篮的速度真不错……我绝对不在沈佳仪面前跟阿和挑篮球，哼哼。

"阿和？阿和真的在喜欢沈佳仪？"廖英宏稍感讶异，声音压低。

"怎么可能看不出来？阿和甚至还转去社会组！"我歪着头。

"哇，你知道好多。真羡慕你总是跟沈佳仪有那么多话聊。"廖英宏说。他一旦认真说起话来，可真是恶

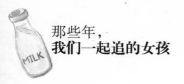
心巴拉的。

"有话聊有什么用？就只是普通朋友。"我拍拍廖英宏的肩膀，诚恳地笑笑，"反正啦，如果你要追沈佳仪的话，我可以帮你提供情报，当你的眼睛。"

我站起，看着李丰名越过众人防守钻入禁区，将球离奇地放进篮框。

"五比三，OVER！"上一组人败下阵来。

我站在罚球线上，阿和气喘吁吁地将球丢给我，我轻轻松松转丢给等候在三分线外的廖英宏。

"加油，别输了。"我抖抖眉毛，低着腰。

"哈，开始！"廖英宏运球冲进，瞥眼看着阿和。


就这样，只要一有机会，我就铆起来鼓励身边的朋友别辜负大好青春，一个接一个给我去追沈佳仪，为我制造替沈佳仪"处理情绪困扰"的机会。

例如每次到了家政课，大家分组煮东西吃，总不忘为沈佳仪多准备一个塑胶碗，一有新菜出炉，就将那道菜塞进碗里，准备送去给沈佳仪品尝。

超扯，每个人在献殷勤的时候都在比快，深怕落后别人一步就表现不出对沈佳仪的关心……或者说，迟了一步，就来不及用自己亲手炒的菜喂饱沈佳仪的胃。

"今天平班也是家政课，阿和一定会……"我经过廖英宏等人的旁边时，幽灵般丢下这么一句。

有人一下课就捧着菜盘以跑百米的速度冲去和班教室，看着沈佳仪当大家的面，把菜吃光光才肯离去。还有人在课堂间假装要上厕所，结果抱着一堆菜跑到和班，蹑手蹑脚蹲在墙壁后面，诚惶诚恐地将菜从窗户边角递进教室，过程非常像警方特勤小组攻坚。

"我才不要跟你们一样咧。"我在肚子里暗笑。

虽然，有时我也忍不住，将自己乱搞的亲手菜满不在乎地送到沈佳仪面前……


八点半，夜里的学校教室，又到了两小无猜时间。

天花板电风扇的嗡嗡声中，沈佳仪跟我一起吃着夹心饼干。

"我真的不懂，我有这么好吗？为什么这个时候应该好好念书，却要分心在感情的事上？"沈佳仪皱眉，语气很无奈。

"喂，人家是喜欢你，这有什么不对？喜欢哪有在分什么时间适不适合的？"我大剌剌地说，某种程度也算是在为自己说话。

"可是张家训，他几、乎、每、天、都打电话到我家，也不知道要跟我说什么，我又不好意思挂他电话，非常困扰！"

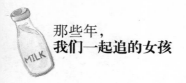
"哈，张家训是有一点点怪怪的啦，不过说真的，难道你喜欢被讨厌吗？"

"我又没有做什么，怎么会被讨厌？"沈佳仪无法认同。

"是啊，你什么也没做，就偏偏会被喜欢咧！"我哼哼。

"……我就只是想安安静静地念书。"

看着沈佳仪烦恼的样子，真的是一种很古怪的享受。

沈佳仪并不可能找除了我之外的任何人谈这些事，因为她会觉得在这个年龄聊"男女之间的感情"非常幼稚，她也难以向其他的女孩启齿。而幼稚的我对一切状况都很明了，又摆明对沈佳仪没有兴趣，只是个见鬼了的好朋友……

那些烦恼几乎都是我一手制造出来的，我"义务"成了谢孟学、谢明和、张家训、廖英宏、许哲魁、杜信贤的"爱情经纪人"，常常不厌其烦为沈佳仪介绍他们的优点，以及剖析他们追求行为背后种种可爱的动机，希望沈佳仪能够多多少少认同这些人因对她的喜欢而产生的行动。

但我越热烈推荐，沈佳仪就越无奈，百分之百都成了反效果。

说实话，若撇开我奋力担纲月老的内在动机，我还真是那些男孩的好朋友：超有义气，分文未取。然而我真是坏透了，哈。

饼干快吃完了，我突然有个怪点子。

"沈佳仪，这么说起来，你对安安静静念书这一类的事很有把握？"

"什么意思？"

"没，我只是想跟你打赌。"

"打赌？"

"没错，我们来比国文、英文，跟数学这三科自然组与社会组的共同科目，用下次月考成绩三科加总，来打赌谁的分数高，怎么样？"

"幼稚归幼稚，不过既然是比成绩……我接受，反正不会改变什么。不过我们要赌什么？"

"哼哼，赌一个星期的牛奶！"

"好啊，不过那是做什么？"沈佳仪罕见地先答应再问细节，可见她对比成绩这档事是多么的有把握。

"输的人，每天都要买一盒鲜奶，在第一节课前亲自送去对方的教室。期限一个星期。"我不怀好意地看着沈佳仪。

"可是我不喜欢天天喝纯鲜奶，我要有时是果汁牛奶，有时是巧克力口味的。"沈佳仪正经八百地说。

"喂……你以为你稳赢的啊？"我用鼻孔喷气。

"我觉得让你这样破财，又要每天这样买牛奶给我喝，我会过意不去。"沈佳仪说到连自己都捂嘴笑了起来。

"有好笑到。沈佳仪，原来你也会讲笑话喔？"

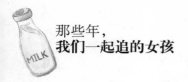
可别忘了，现在是谁在跟你一起平起平坐解数学题目啊？英文号称全年级第一的也是我。至于国文……不好意思，未来将成为小说家的在下，国文在当时也是很厉害哩。赌这三科，真正计较起胜算，恐怕是我赢面较大。

实际上，不论输赢，只要订上这个赌约，我就算是大获全胜。

我赢了，我就可以每天在教室里看着沈佳仪站在窗户外，跟我挥挥手。

我输了，我就可以每天站在窗户外对着教室里的沈佳仪，向她挥挥手。

那将会是，多么有朝气的一个早晨。

"那么就说定了。"我伸出手。

"说定了。"两指勾勾。

月考成绩发布，朝会颁奖。

司令台，沈佳仪略带腼腆地领取全校第一的奖状，而我还是只能乖乖站在下面，看着心爱的女孩跟我维持一大段冲刺的距离。

然后，我以些微差距输了一个星期的牛奶。

早自习前，我背着书包拎着刚买的两盒果汁牛奶，直接走到和班教室，在窗户旁朝正在背英文单字的沈佳仪挥挥手。

沈佳仪走出，跟我在走廊边边吃早餐。

"谢啦，我就说会很麻烦你。"沈佳仪笑笑接过果汁牛奶，递给我影印的补习班数学讲义，里头的折页都有标记好了的问题，以及对话小纸片。

"臭屁。下次我们来赌更大的。"我也撕开了我那盒果汁牛奶。

"还要赌？"沈佳仪不客气喝着牛奶。

"是啊，要不是这次那题证明题我突然忘了怎么写，现在我们可是站在忠班前，喝你送过来的牛奶。"我没好气地说。

"好啊，那这次要赌什么？还是国英数三科加起来吧？"沈佳仪笑了出来，嘴唇上印着一条小白胡，可爱到翻。

"对，我们来赌……"我假装沉思，其实答案我早就想好。

"快点啦。"沈佳仪的眼神很期待，显然跟成绩有关的事情她都不排斥。

"如果我赢的话，你就给我绑马尾。如果我输的话，我就剃三分头。"我坚定地说。

"绑马尾有什么了不起？不过我还蛮想看你剃三分头的。好啊，就这样，你等着把头发理光光吧。"沈佳仪的表情乐得很。

"一言为定,你绑马尾可要整整绑一个月。"我挑眉[2]。

就在我跟沈佳仪要钩钩手的时候，阿和背着书包出现了。

"喔，这么巧，那一起吃早餐吧。"阿和笑笑将手上的早餐放在阳台上。

　　"好啊，你看，这是柯景腾输给我的牛奶耶。"沈佳
仪得意扬扬展示着手中的果汁牛奶，与"总是懂很多"
的阿和开始聊天。

　　"……"我瞪着阿和。

　　你这个情敌实在是狡猾，别依附在我的战术底下偷
袭啦！

---

　　【1】 本故事原先于 HERE 杂志月刊连载，连载时发生
许多事情皆照映在追忆过往的本故事中，于是在此刻集结
成书时，我决定保留当初在连载时的即时语气。

　　【2】 长大后，我变成不折不扣的马尾控，并创立了国
际马尾控协会。一日马尾控，终生马尾控。

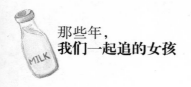
# 15

有人说，爱情可以让贩夫走卒变成诗人。

是真的。

我对沈佳仪的喜欢，让我的课业成绩始终维持在全校三十名内，也让完全不懂五线谱的我开始写歌。

一首接一首。

每天早上骑着脚踏车上学、骑脚踏车回家、骑脚踏车补习，只要我迎着风，我就能很自然哼哼唱唱，将一些对"沈佳仪纯纯爱恋"的想法抖出几个句子，然后不断推敲，最后谱成曲。

许博淳非常讶异我的特异功能。

我们两个都是超恐惧音乐课的白痴，五线谱上的黑痣要用手指头上下计算才知道它的名字；考吹笛子，我还得把 Do Re Mi 用麦克笔写在象牙白的笛子上，小心翼翼兼恬不知耻地按着按着，直到音乐老师面色铁青轰我下台。

这样不解乐理的我，竟开始写歌。

补习完，我跟许博淳照例先到李小华家绕一圈，然后再绕到回家的路上。

途中我哼唱我为沈佳仪写的第一首歌《我仍会天天想你》，请许博淳为我评鉴。我打算在毕业后跟沈佳仪告白，在大家面前唱这首歌给沈佳仪听，让她感动到不跟我在一起都不好意思。

"你放屁啦，这首歌是你写的？"许博淳不信，讶异地看着我。

"是啊，我也不知道为什么会这样，我填的词都很烂。"我双手放开，轻易地使脚踏车维持平衡。

"重点不是词吧？你怎么可能会谱曲？你又看不懂五线谱！"许博淳傻眼。

"对啊，所以我都强记下来，一有新的曲调出现我就哼到我忘不掉为止，久了就变成一首歌了。"我有些得意地补充，"不止这首，我还有三四首同时在写哩，到时候沈佳仪突然知道我也喜欢她，她一定会很感动我这种默默守候、拼命念书只为了接近她的努力啦。"

"……柯景腾，你真的是不谈恋爱就什么也做不好，一谈恋爱，却什么都乱七八糟搞的那型。"许博淳有感而发，摇摇头。

"百分之百正确。"我哈哈大笑。

是啊，这样倚赖爱情成长的青春，也没什么不好。

充满活力，还有他妈的乱好一把的成绩单。

"当你的情敌还真的蛮可怜的。"许博淳说，想了想，又接着道，"不过如果你做了这么多，却还是失败了的话，啧啧，你就是我看过的最惨的人了。"

我沉默了半晌，没有立刻回话。

这是个很严肃的问题，直到快到家门口，我才若有

所思地开口。

"沈佳仪值得。"


一个网友读者 CYM，在我的 bbs 个人板上写道："等待也是行动的一部分。"

没错，就是如此。

等待不想谈恋爱、只想专心念书的沈佳仪的漫长过程，可说是我恋爱作战最精彩的部分。如果不能乐在其中就太亏了。过度期待，才真的会失去所有该得未得的开心。

对于爱情的态度，我的思想是过度成熟的。

但对于因爱情而生的种种行为，我却竭尽所能地幼稚。

以前在看爱情电影或纯爱日剧时，往往觉得一个深情款款的画面之所以真能深情款款，靠的不只是浪漫的对白，还有应衬的气氛。而"气氛"，就是指现实生活中并不存在的"背景音乐"[1]。

"所以，我需要大家的力量。"我说，看着围过来的男生。

就在第二首歌《寂寞咖啡因》完成时，我开始教班上男生唱我写的第一首歌《我仍会天天想着你》。男生都很懒惰又笨，花个两三年训练他们唱一首歌，让他们

148

琅琅上口，对我的告白比较保险。

我骗大家说，我还对李小华抱持着相当的期待，希望有机会时他们可以跟我一起站到彰女校门口，将这首歌大声唱出来，帮我的告白制造超厉害的背景音乐。这些同班男生帮我的条件很简单，就是某一天他们要用这种歌跟别的女生告白时，尽管说这是他们自己为"她"而写的。

但实际上，我的计划目标当然是沈佳仪。

在无法用"爱情"的姿态面对沈佳仪时，我选择将我的位置放在沈佳仪的"好朋友"位置上。为了站稳这个位置，为了配合老是有芝麻蒜皮小事可聊的沈佳仪，我得随时保持跟她很有话题聊的最佳状态。

但……我哪有这么厉害！

放学后，物理补习班中间休息时间，我坐在大楼门口的台阶上，跟唯一不追沈佳仪的许博淳讨论着我的爱情作战。

"怎么办？我常常跟沈佳仪讲电话讲不到十分钟就自己挂了，因为我不想让她觉得无聊，干脆不讲了。"我问许博淳。

"女生都喜欢聊日剧，聊打扮，聊……聊谁在喜欢谁。好像都是这样吧。"许博淳心不在焉。

他今天有点不爽，因为他的书包背带被我跟廖英宏用立可白乱写上"努力用功好学生"几个字，看起来超蠢。虽然许博淳立刻报复，在我的书包背带上用立可白

回敬"南无阿弥陀佛"几字，但还是难消他心头之恨……因为我被写了反而爽朗地哈哈大笑。

"但沈佳仪不聊那些东西！她上次还问我她送我的证严法师静思语，我读了有什么感想咧！他妈的我还真对证严法师没什么意见，但我觉得头很大，要我假装很感兴趣，那是一点都办不到。"我擤着鼻涕。

跟沈佳仪面对面聊天，总是有话说的，且非常自然。但男生跟女生讲电话，就是一门博大精深的人际艺术了。十六岁半的我，完全参透不能。

有些男人终其一生都无法跟女人讲电话超过十分钟，一点也不奇怪。

"这样啊……其他人我不知道啦，不过我听我姐姐在跟朋友讲电话的时候，几乎都言不及义，废话很多。"许博淳回忆。

"言不及义？听起来好像很恐怖。"我将鼻涕好好地用卫生纸包起来。

"废话越多就越讲不完，反而正经事一下子就聊完了，跟女生讲电话，一定要讲很多很多废话。"许博淳言之凿凿。

"女生真的很喜欢讲废话跟听废话？我怎么觉得沈佳仪不是这种女生。"我将饱饱的"鼻涕便当"偷偷摸摸放进许博淳敞开的裤袋里。

"那就干脆硬聊啊，要不就做功课啊，照道理只要正经事够多，电话还是可以讲很久的吧？"许博淳有些不耐烦了。

浑然不知，他下一次将手插进口袋的时候，就会摸到我送他的、软软涨涨的鼻涕便当，一不小心还会黏乎乎大爆炸！

"做功课？"我虚心请教。

"你就拿一张白纸开始列正经事啊，讲电话的时候就看着小抄讲，讲完一件事就勾掉一条……喂，要不要去买饮料喝？"许博淳看着手表，站起，休息时间快结束了。

"好啊。你说的蛮有道理的。"我也拍拍屁股站起。

我们一起走到巷口的便利商店，各自挑了饮料，走到柜台，许博淳将手插进口袋里摸铜板付账时，脸色愀然一变。

"破了吗？"我冷静地看着许博淳。

"干！"一拳。

后来，我真的拿起笔记本随时抄写"可以聊天的项目"，果真对我与沈佳仪在回家后讲电话的内容相当有帮助，我们总是越聊越久，也渐渐地培养出互相接话的默契。讲电话时我还得拿着笔随时记下我突然而生的灵感，将整个对话繁衍得更长。

而不知不觉，我跟沈佳仪的打赌期限又到了。

　　我非常喜欢看女孩子绑马尾，如果可以让留着半香菇头的沈佳仪为了我改变发型，那将是一件非常赏心悦目的事。

　　下学期第二次月考成绩公布，沈佳仪全校第几名、我全校第几名，通通不是重点。关键是国英数三科加起来的成绩。

　　尽管月考才刚刚结束不久，我跟沈佳仪晚上还是留在学校念书，背背英文单字，用随身听收听"空中英语教室"练习听力。高中生想用功，可不怕没有书念。

　　那晚下着倾盆大雨。

　　捱不到八点，我七点就忍不住在学校一楼教室晃荡，搜寻沈佳仪用功的身影。

　　"沈佳仪，真不好意思。我这三科加起来大概是自然组最高分吧！"我哈哈大笑，走进沈佳仪只身一人待着的教室。

　　"喔？真的吗？但是你还是输了啊。"沈佳仪看到我，也很高兴。

　　"输了？"我不解。

　　"今天廖英宏来找我，我问他，他就跟我说了你的成绩。"沈佳仪露出啧啧啧的欣慰表情，继续说，"你真的比初中时用功太多了，让我刮目相看呢，幸好幸好……"

　　沈佳仪边说，边晃着手中的月考分数表，显然早就在等我来找她。

　　我坐下，接过分数表一看。三科加起来，我竟堪堪

输掉两分……将物理与化学上的专注，大量挪移到国、英、数三科上面的我，竟然还是输给了沈佳仪。

"沈佳仪，你是怪物吗？"我张大嘴巴，丝毫没有不服气。

在没有来不及写完、没有填错答案的情况下，我将成绩撑到最好的极限，这样还输掉，根本就是太过豪迈！

"哈，跟你打赌，真是一点都不能疏忽呢。"沈佳仪笑得很开心。

开心。

是啊，你开心，我就很开心呢。

"月考完了，你今天会早一点回家吗？"我站起，伸了个若有所思的懒腰。

"顶多提早一些吧。"沈佳仪看着窗外的雨。

"等我。"我挥挥手，离开教室。

不理会沈佳仪狐疑的表情，我冒着打在身上都会痛的大雨，骑着脚踏车冲出学校，跨越我不厌其烦一提再提的那"坡度有够陡峭的中华陆桥"，来到市区。

一路上，雨水不断沿着刘海与眉梢，倒泄进我的眼睛，使我搜寻便宜家庭理发店的视线更加辛苦。但我的心情，竟飞扬得不得了。

脚踏车停在一间看起来"就算乱七八糟剪也十分合理"的家庭理发店。

"老板，帮我剃个大平头，有多短剃多短。"我推开大门。

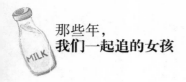
湿透，累透。他妈的帅透。

"啊？"老板娘背着婴儿，手里还捧着碗打卤面。

"拜托了，咻咻咻，请剃快一点！"我指着自己的脑袋，精神抖擞。

半个小时后，我直接骑脚踏车冲进学校，停在沈佳仪念书的教室门口。

正当我想踏进去的时候，我赫然发现沈佳仪的身边，多了她那正面临联考压力的姐姐沈千玉。两姊妹多半快要回家了才会待在同一间教室，等着妈妈开车来载。

多了并不熟的沈千玉姐姐，我有点不好意思进去，也有点想要酷，于是就只有站在教室外，轻轻敲了敲窗户玻璃。

两姊妹同时转头，看向浑身湿透了的我。

我指了指自己接近光头的脑袋，挤眉弄眼笑笑。

"！"沈佳仪目瞪口呆，一句话都说不出口。

"天啊，那是柯景腾吗？"沈千玉愣了一下，随即大笑。

我耸耸肩，欣赏沈佳仪无法置信、乃至终于噗嗤一声笑了出来的表情。

"达成约定了，像个男子汉吧。"我得意地说，故意没擦掉脸上的雨水。

酷酷地，我转身就走，骑着脚踏车回家。

依旧是淋着雨，但心中却因沈佳仪刚刚的笑容出了太阳。

"他妈的，我好帅喔！"我摸着大平头，傻笑，慢慢地骑着脚踏车。

那雨夜，在回家的脚踏车上，我为沈佳仪写了第三首歌《亲爱的朋友》。

歌词里有一段就这么写着："亲爱的朋友，我可爱的好朋友，你可想起我，在遥远的十年以前，我冒着倾盆大雨剪了一个大平头，我还记得你的表情、你的容颜、你的眼。"[2]

后来我才知道，沈佳仪那次的月考成绩加总起来，让她首度落到全校三名外。

她很重视我们之间的打赌，当我将应该花在理科上的精神切割给赌赛的三科时，沈佳仪也做了同样的事。她牺牲了历史与地理，只为了跟我一决胜负。

就在我剃了大平头后几天，在学校里遇到沈佳仪几次，沈佳仪都不动声色绑了马尾，神色自然。

两人如往常交换参考书、讲义，以及共同科目的考卷。

"下次，我们还是赌牛奶吧。两个礼拜的分量！"我接过讲义。

"好啊，又要麻烦你了。"沈佳仪哈哈一笑。

"屁啦。"我哼哼，鼻孔喷气。

我没问她既然赢了，为什么还要绑马尾。沈佳仪自己也不提。

我只知道我很开心，非常非常的开心。

155

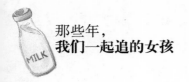
现在想起来，还是觉得以前的自己真是可爱。

有一点刻意不穿雨衣的做作，有一点为爱奉献的自以为浪漫，但那又如何？

如果爱情不能使一个人变成平常不会出现的那一个人，那么爱情的魔力也未免太小了……不是我们日夜祈手祷盼的，那种够资格称为爱情的爱情。

直到现在，我依旧是，随时都准备为爱疯狂的男子汉啊！

【1】 想象《东京爱情故事》若没了小田和正的《爱情突然发生》主题曲，那段四角恋爱还剩下了多少感动？

【2】 多年以后许多首我为沈佳仪写的歌都被我拿去改写，成了小说《等一个人咖啡》里的几首主题曲，放在官方网站上分享。

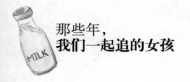
那些年，
**我们一起追的女孩**

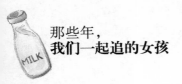
# 16

　　高一快结束时，曾带我们到埔里打坐的周淑真老师，又有了新把戏。

　　"柯景腾，沈佳仪，你们替老师找几个同学，暑假到'信愿行'帮忙带小朋友的佛学夏令营，好不好？"周淑真老师有天在走廊，巧遇沈佳仪跟我。

　　"信愿行"是个位于彰化大竹某个小山上的佛教道场，占地不小，只是仍在兴建中，当时一切都很简陋，是个由几个巨大铁皮屋拼拼凑凑而成的精舍，正在募善款把道场正式盖起来。

　　而儿童佛学夏令营，正是信愿行道场与邻近社区的一种道德互动。

　　"佛学夏令营？哈哈哈哈，我才不要。"我爽快地拒绝。

　　"好啊，我跟柯景腾会帮老师找人的。"沈佳仪倒是答应得很干脆。

　　"喂……干吗拖我下水？"我看着身旁的沈佳仪。

　　"你需要好好打坐一下。"沈佳仪正经八百地回应。

　　差点忘了，这位我喜欢的女孩，可是证严法师的校园代言人啊！

　　"那老师就拜托你们啰！"周老师欣慰地笑笑，抱着书本离去。

就这样，善良的沈佳仪决定把属于十六岁的美丽夏天，献给木鱼与念经，还有天杀的近百位"高拐"的小朋友。

而我，不，不止我……阿和、谢孟学、杜信贤、许哲魁、廖英宏等一大堆心怀鬼胎的朋友，也因为沈佳仪的因素，全都热情洋溢地担任儿童佛学夏令营的领队（混蛋！有没有这么有爱心啊！）。

而许博淳这样无害的战友也被我拖去，见证一场乱七八糟的爱情对决。


写到这里还真是汗颜。

我也想要谈点流行感重的爱情，例如参加拳击社跟拳王情敌苦苦互殴分出高下，或是参加棒球社与王牌投手情敌来个两好三坏的关键对决。但无可奈何，我终究得嗅着喜欢女生的身影，眼巴巴跟着沈佳仪来到木鱼声不绝于耳的佛学夏令营。超 KUSO（恶搞）。

表面上是热爱小朋友，实际上是为了争夺爱情，我们一群人来到山上，换上了信愿行小老师的制服。每个人大约要带十个小朋友，女生五小队，男生五小队，活动的内容一律跟佛学有关。

而我跟沈佳仪各自带男女生的第一小队，是队员年

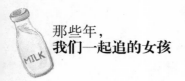
纪最小的队伍，小鬼头平均在小学二年级以下。小鬼头在每个年龄层会的把戏各有不同，并不是年岁越小就越好唬弄，小鬼一旦硬卢起来、或因想家而号啕大哭，往往都让我超想示范过肩摔的神技。

"柯景腾，不可以欺负小朋友。"沈佳仪瞪着我。

"我哪有，我只是在训练他们勇敢。"我常常这么回嘴。

每天凌晨四点半，我们就得盥洗完毕，穿上黑色的海青[1]，带着小朋友到大殿上念经，等吃早斋。

所有人手中捧着写好注音符号的经文本，男生女生昏昏欲睡地分站大殿两旁，一遍又一遍念着"佛说阿弥陀经""往生咒"等等。有的小朋友根本就站着睡，我时不时得分神注意、踮个步过去狂巴小朋友的头，以免小朋友做噩梦惊醒，会重心不稳跌倒。

由于都是带男女第一小队，念经的时候我对面站着沈佳仪，两人隔着三公尺，拿着经文大声读颂。我有一半的时间都在思考我这辈子是否真能追到沈佳仪这个大问题，所以我只是嘴巴张开假装有在读经，眼睛却看着高我三公分的沈佳仪发愣。

沈佳仪尽管个性再怎么成熟，也抵受不住一大清早爬起来念经的身体疲倦，捧着经文的她，眼皮时而沉重，时而索性合上休憩，那摇摇欲坠的模样真是颠预可爱。

我往旁偷偷观察。

站在身旁念诵经文的小队长阿和，同样时不时偷看沈佳仪，更过去的谢孟学、许哲魁等人也同样分神窥看沈佳仪偷睡觉的模样，个个若有所思。只有我唯一的无害伙伴许博淳，心无旁骛地合眼睡觉。

"哎，我怎么会跑来这里念经？"我苦笑，肚子好饿好饿。

经念完后，接着是五体投地膜拜，用鼻子跟额头亲吻蒲团数十次。最后开始"跑香"，用没吃早餐、血糖很低、随时都会昏倒的脆弱身体在大殿上绕着跑来跑去。此时别说我们，有些娇贵的小朋友跑着跑着，竟放声大哭了出来。

直到案头上的香烧完了，整个早斋前的"仪式"才宣告结束。

放饭前，大家恍恍惚惚坐在长椅上，听道场住持用字字珠玑的珍惜语调，缓缓道来一个又一个佛教生活小故事。真正开动的时候，所有人早就饿过了头，没了食欲，只剩下兀自空空荡荡的肚皮。

"柯景腾，我觉得这种爱情真的是很不健康。而且还拖累一大堆人。"许博淳看着碗里毫无味道的素菜，叹气。

"你以为我想这样？要是大家说好都不来，就只沈佳仪一个人来，我也不会跑到这种法喜充满的地方学念咒。他妈的我又不打怪。"我啃着干干的饭，很想哭。

就当作，做功德好了？

佛学营历时七天，还有得熬。

上课的时候，有严肃的讲师压阵（差不多就是传说

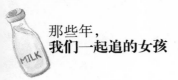
中法力高强的僧侣，密技是惩罚小鬼头独自在大殿上磕头念佛上百次，轻惹不得），我们当领队的大哥哥大姐姐，只要好好维持小鬼头秩序即可。

课堂与课堂中间的下课时间，才是领队与小鬼头的拉锯战斗。

明白人都知道，一个男生与"小孩子"的相处情形，在一个女孩的心中是极其重要的"个性写照"，决定女孩给这位男孩高分或低分。然而标准答案只有一个：我很喜欢小孩子。

在这个纲领下，每个喜欢沈佳仪的人都各有自己诠释"我很喜欢小孩子"的方式。沈佳仪全都看在眼底。

信愿行道场位在小山坡上，下课时上百位小朋友可以选择在上千坪的坡地上奔跑浪费体力，或是待在道场的露天教室大吼大叫。有的是地方。

"我最崇拜阿和哥哥了，我长大以后也要像阿和哥哥一样懂很多！"下课时，阿和的身边总是充满小鬼头们的赞叹与欢呼。

阿和总是巧妙地，将这些喝彩带到沈佳仪周遭，让最受女小鬼头欢迎的沈佳仪注意到他对小朋友很有一套。而沈佳仪，也总是很配合地对阿和笑笑。

真是棘手。

爱写诗，文笔好，成绩超棒的谢孟学，则更走极端。

"阿学哥哥，对不起，我错了，我以后不会再惹你生气了。"一个小朋友愧疚地站在阿学旁，涨红着脸，局促地道歉。

谢孟学趴在桌子上痛哭，因为他带的小朋友不乖的表现令他"伤心失望"。这个痛哭的动作看在别人眼底多半是"纤细"与"情感丰沛"加上"我很在意小朋友"的混合式代名词。但看在我这个情敌的眼中，则是荒谬绝伦的闹剧。

而我，整天叫我带的小队队员，去跟沈佳仪带的小队队员告白，还乱配对，让沈佳仪的小队不胜其扰。

"柯腾，谢孟学哭是太夸张，不过站在同样身为阿和好友的客观立场，我认为你这次完全输给了阿和。"许博淳看着被小女生围绕，祈求大姐姐关注几句话的沈佳仪。

"如果真是那样，也没有办法啊。"我挖着鼻孔。

恋爱中，可以花尽种种心机，运用策略打败对手，但做自己是很重要的。

或许，根本是最重要的。

"如果到最后让沈佳仪深深爱上的自己，并不是真正的我，那我所做的一切又有什么意义呢？"我说，拍拍许博淳的肩膀。

只见许博淳的脸色突然煞白，整个身体震动了一下，嘴里发出奇怪的喔喔声。

别误会，许博淳不是被我这一番话给感动，而是屁眼神经遭到非人道的重创。

只见一个很爱吵闹的小鬼头笑嘻嘻地从许博淳身后

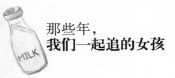
跳出，然后哈哈大笑逃走。

"靠！别走！"许博淳按着甫遭突击的屁眼，身体一拐拐地冲去杀人。

"臭小鬼！被我抓到你就完蛋了！戳死你！"我也跟着追上，一路叫骂。

——敢戳我朋友的屁眼，简直就跟戳我屁眼没有两样。

一个不到十岁的臭小鬼又能怎么个逃法？一下子就让许博淳跟我给逮了回来。

但是这小鬼脸皮厚得要死，笑嘻嘻地嚷嚷，连站都站不好，我跟许博淳一人抓住他一只手，他像条泥鳅般乱动，就是一个劲儿地想逃。

沈佳仪站在我们附近，看着一堆小女孩远远在山坡上玩跳绳。

"一句话，你觉得呢？"许博淳恨得牙痒痒的。

"干，戳死他。"我冷眉，那还用废话。

许博淳擦掉刚刚痛到挤出眼角的眼泪，用力用手指戳臭小鬼的屁眼，但臭小鬼哈哈大笑，用吃奶的力气夹紧两片屁股肉，屁股又乱晃，无论许博淳怎么戳就是命中不了目标。

"哈哈哈，戳不到戳不到！戳不到戳不到！"臭小鬼扮着鬼脸，乐得很。

我看着悲愤不已的许博淳，又看了看欠扁的臭小鬼，心生一计。

“只好这么做了。”我伸手，快速绝伦在小鬼头的脊椎骨上“戳点”下去。

臭小鬼身体揪了一下，但也没当成回事，还在那边咧开牙齿笑。

“虽然不想，但我刚刚已经点了你的死穴。“我正经八百地叹了口气，摇摇头，说，“许博淳，上一个被我点了死穴的那个小孩，你还记得怎么死的吗？”我松开手。

许博淳会意，立刻松开手，让臭小鬼完全挣脱我们的控制。

因为不需要了。

“拜托，你根本就没有杀死他好不好，他只是变成植物人而已。”许博淳看着我，完全不再理会那臭小鬼。

“对吼，那次我只用了百分之五十的内力，所以他没有完全死，只是刚刚好死了一半。”我傻笑，表情有些腼腆。

臭小鬼怔怔地看着我们俩，竟没想到要逃。

“喂，随你的便，从现在开始你爱怎么捣乱就怎么捣乱，反正你只剩下三天的时间可以活了。”我看着臭小鬼，两手一摊。

“去玩吧，晚一点我会带你去打电话回家，记得多跟爸爸妈妈说几句话。哎，年纪这么小就被点了死穴……”许博淳看着臭小鬼，语气诸多遗憾。

臭小鬼突然愤怒大吼：“骗人！这个世界上根本就没有死穴！”

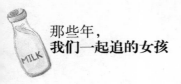
我跟许博淳相视一笑，并没有反驳，也没有答腔，自顾自说起学校的事情。把臭小鬼完全晾在一边。

"骗人！什么死穴！"臭小鬼再度大吼，耳根子都红了。

"对啊，没有死穴，只有死人。"我看着自己的手指，喃喃自语，"别说你不相信了，警察也不相信有死穴，所以我根本不会被抓。哈哈！"

臭小鬼愣住。

"你这次用了多少内力？"许博淳好奇。

"百分之八十。会不会死我也不知道，可能只会变成残废吧？"我耸肩，无可奈何。

我们两个人，就这么绝对不笑场地聊着子虚乌有的死穴。

"没有死穴！笨蛋才相信有死穴！"臭小鬼吼得，连小小的身体都在发抖。

此时站在一旁的沈佳仪终于看不过去了，走过来，边走边想开口说点什么。

"Do respect my way."（务必尊重我的方式）我瞪着沈佳仪。

"……"沈佳仪只好闭嘴，假装没事地走开，临走前用眼神责备了我一下。

此时电子钟声响起，学佛课程再度开始，所有人进大殿听道场师父说课。

许博淳跟我刻意坐在臭小鬼的蒲团正后面，一搭一唱地窃窃私语。

"死穴耶，其实我当初也没想过自己会真的练成死穴。超厉害的啦我！"

"你手指不要一直戳过来。上上上次那个人七孔流血的样子我现在想起来还会做噩梦，有够恶。"

"放心啦，别忘了我还会解穴。"

"你不是说一定要在第一天解穴才有用吗？"

"随便啦，反正我又不会点在自己身上。"

交头接耳地，我跟许博淳越说越离谱，而沈佳仪则在女生队伍那边十分不解地看着我，模样既不像责备，又不像鼓励，倒接近一种对气味的观察。

最后我们说起不同位置的死穴有不同种的死法，而我点在臭小鬼身上的死穴，则会让臭小鬼骨头一根一根慢慢断掉，把内脏刺穿，身体歪七扭八而死。

"哇～～～"终于，臭小鬼崩溃了，号啕大哭了起来。

宾果。

我跟许博淳错愕地向道场讲师鞠个躬，迅速将哭惨了的臭小鬼架出大殿，三人走到外头的露天教室谈判。

"我不要死掉！"臭小鬼大哭，可也没有明确提出解穴的要求。

我看着苦主许博淳，许博淳点点头，意思是够了。

"好啊，不要死掉可以，我会解穴。不过从现在开始你要听话，不然我们就再点你一次死穴。你可以去跟师父说，不过那些师父也不会相信什么死穴的，哈、哈、

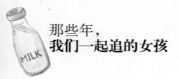
哈！”我冷冷地看着臭小鬼。

许博淳抽了一张卫生纸，给臭小鬼擦鼻涕眼泪。

“好。”臭小鬼哭丧着脸。

“会乖吗？”我翘脚。

“会。”臭小鬼又哭了。

“屁股翘起来，不准闪，也、不、准、夹！”我的语气很严肃。

此时此刻，一点都马虎不得。如果小时候就以为道歉就可以解决所有事情、却一点代价都不必付出的话，这臭小鬼长大后一定会继续捅别人的屁股，直到捅出大娄子。

“？”许博淳倒是犹豫了一下。

“捅。”我竖起大拇指。

之后几天臭小鬼都一直超乖，不敢再乱惹事，甚至还将我的点死穴神技传开，在小朋友间大大发挥了恐吓的效果。

信者恒信，不信者也不至于来挑战我的死穴神指。

在佛学夏令营，我们最喜欢晚上九点后的睡前时间。

那时，白天吵吵闹闹的小朋友都被我们赶去睡觉，大家洗过澡后，便拿着不同长短的椅子排在星空下，一个一个横七竖八躺着。

在沁凉的晚风与蝉鸣下，很自然地，大伙儿闲聊起未来的梦想。

说是闲聊梦想，其实也是一种战斗。

除了"男生必须喜欢小孩子"的迷思外，"梦想的屁话"也是勾引女孩子灵魂的重要步数。如果男生突然被问起"梦想是什么"却答不出来，在女生心中一定会被严重扣分，甚至直接掼到出局。

没有梦想，跟没有魅力画上了等号。

但梦想的大小却不是重点。轻易地以为梦想越大，就越能掳获女孩子的心，未免也太小觑女孩的爱情判断。

"我的梦想，就是当一个悬壶济世的好医生。"

"我想念经济系，将来从政，选立法委员。"

"我想大学毕业后，出国留学念MBA，工作两年再回来。"

"念理工就要去德国留学，我想在德国直接念到博士。"

"我想考上公费留学，然后当外交官，可以在世界各地旅行。"

大家煞有介事地阐述自己的梦想，越说越到外太空。

但那拼命构划人生的姿态，坦白说我嘲笑不起。

没有人有资格嘲笑另一个人的梦想，不管对方说出梦想的目的为何。

更何况，在喜欢的女孩面前装点样子出来，本来就很正常——那仍旧是一种心意，就像女孩子在与自己喜

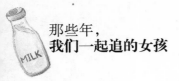

欢的男孩子约会之前，总要精心打扮一番的道理是一样的。"愿景"毋宁是男人最容易上手的装饰品。

沈佳仪看着躺在长板凳上的我，"呦"地出了声提醒。

她知道我总是喜欢出风头，总是喜欢当群体中最特别的那个人。也所以，等到大家都轮流说完了，我才清清喉咙。

"我想当一个很厉害的人。"我说，精简扼要。

是啊，很厉害的人。

"真的是够模糊了，有讲跟没讲一样啊。"阿和幽幽吐槽。

"不过，要怎么定义厉害或不厉害？"许志彰问得倒是有些认真。

我没有多想，因为答案我早已放在心底了。

所谓的厉害，就是……

"让这个世界，因为有了我，会有一点点差别。"我没有看着星星。

我不需要。

我是看着沈佳仪的眼睛，慢慢说出那句话的。


而我的世界，不过就是你的心。

二〇〇五年，六月。

台中大鲁阁棒球打击练习场。我们几个当年胡扯梦想的大男孩，又因为沈佳仪重新聚在一起。而这次，我们用此起彼落的挥棒，豪迈奋力地交谈着。

我卷起袖子，喘气，拿着银色铝棒。

又投了一枚代币。

"去年有次我听沈佳仪说，虽然她一直很喜欢小孩子，不过也常常觉得小孩子很烦，拿他们没办法。所以当初在信愿行的时候，其他人都很刻意跟小孩子玩在一起，一直说跟小孩子相处很棒很棒，她却觉得很有压力。"廖英宏穿着黑色西装，站在铁丝网后，看着我的背影。

"喔？"我屏息，握紧。

"当时她听到你跟她抱怨了一句，说这些小鬼真是烦死人了，她反而觉得你很真，完全不做作，不会在她面前装作另一个人。"廖英宏若有所思。

"现在说，会不会太晚啦？"我挥棒。

落空。

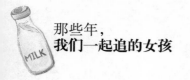

---

　　【1】类似袈裟的一种修行服饰。不过绝对不会流行
起来。

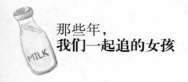
# 17

　　我们这几个好朋友，一直都很喜欢聊沈佳仪。

　　只要我们一群人废在一块儿，沈佳仪的近况或以前大家的追求回忆，就会重新倒带，从彼此的记忆中相互确认、补缀。沈佳仪，可是我们共同的青春。

　　二〇〇四年夏末。

　　我与阿和、许博淳、廖英宏、赖彦翔等人，计划一起到花莲泛舟度假，不料碰上台风尾巴带来的豪雨，火车一到七堵车站，铁轨就给淹得无法前进。我们只好下车，改变行程，搭公车转往北投泡汤打麻将，连续窝在饭店三天。

　　麻将打着打着，我们又不自觉聊到了沈佳仪。

　　"天啊，我们又聊到了佳仪！"廖英宏摇摇头，自己都觉得好笑。

　　"说真的，当时你怎么这么有自信可以追到沈佳仪？"许博淳看着我，犹疑着该打哪张牌。

　　"柯腾就是这样，一点都没道理的自信。"阿和躺在床上看电视。

　　"其实那时我整天都在研究我跟沈佳仪合照的照片，想说我们有没有夫妻脸。超级期待的，如果有的话，那不就无敌了吗？连命运都站在我这边。"我笑。

"结论呢？有吗？"廖英宏丢出一张牌。

"没有。"我挖鼻孔。

"哈。"阿和冷笑。

"不过，爱情是可以勉强的，不是吗？"我随口说道，哼哼然。

语毕，大家哈哈大笑，笑得前俯后仰。

可不是，有一百种方法可以把爱情搞丢，就有一百种方法可以亲近爱情。

抄抄我自己在《爱情，两好三坏》里的作者自序：

很有可能，爱情是人生中最无法受到控制的变项，这正是爱情醉人之处。

但什么是爱情？当有人试着告诉你这个千古问题的答案时，那不过是他所体验过的某种滋味，或是故作忧伤的勾引姿态。

爱情是许多人人生的最缩影。答案有浪漫，有疯狂；有刻骨铭心，有轻轻触动；有死生相许，有背叛反复；有成熟，有期许成熟。

每个人想寻找的答案都不一样，因为每个灵魂都无比独特。

每个人最后寻到的答案也不一样，因为恋爱需要运气。

二十岁以前，我坚贞笃信努力可以得到任何爱情。何其天真。

二十岁以后，我醒悟到大部分的爱情，早在一开始

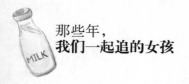
就注定了结果。绝大多数的人，都会在下意识的第一印象中，将异性做"恋爱机会"的评分，从此定调。

但恋爱除了运气，还有更多的努力填补其中，充满汗水、泪水的光泽与气味。

所以爱情的姿态才会如此动人。

没有人可以替你定义你的爱情。

星座专家去死。

答客问专栏作家去死。

所有拼命想告诉你何时该谈恋爱何时不该谈恋爱的关心魔人，去死。

勇敢相信自己的嗅觉，谈一场属于青春的爱情吧！


高中的日子过得很饱满，除了补习，我几乎每天晚上都留在学校读书。

周末假日，沈佳仪偶尔会到文化中心念书，换换环境。我知道后，便跟着养成一大清早在文化中心大门口排队抢占K书位子的习惯。我们交换考卷，分享共同科目的笔记，进行一次又一次的月考赌赛。

不知不觉，沈佳仪的姐姐考上了大学，到台北念书去。从此我在晚上留校念书的时候，更对形单影只的沈佳仪留了心。

又一个夏天，我们再度去了第二次的信愿行儿童佛学夏令营，这次我没有再担任小队辅，跑去当洗碗与菜饭分配的打杂。跟我同年同月同日生的李丰名，也跟我一起负责帮大家洗碗，洗着洗着，他就这么爱上跟我们一起洗碗的女孩淑惠，成了我们这群好友第一个交女朋友的混蛋。

然后，又一个夏天过去。

我们已经笑嘻嘻赌到了模拟考，来到兢兢业业的高三。

在勤劳念书的爱情光辉的照蔽下，我的课业成绩总保持在全校前三十名。但由于我读书的天分已经燃烧到极限，我渐渐清楚我永远无法推进到全校前十名（除非前二十名同时转学），也意味着我无法如沈佳仪所说的，考上慈济医科。无妨，既然不是那块料，我改以成大的工业设计系为主要的努力标的。

经过了一年的整肃情敌计划，我确认主要的对手只剩下阿和一人。

"说真的，你觉得你真赢得了阿和？"许博淳坐在机台前，打着勇猛拳击。

"为什么会输？"我拼命扣杀按键，发出彗星拳。

"据我所知，阿和的姐姐会帮他出主意，比如买生日礼物，或是怎么跟女生说话等等，听起来很可靠的样子。"许博淳也一样拼命扣杀按键。

两个电玩角色在萤幕上狠命厮杀。

"是啊，比起阿和那很懂女生的姐姐，我的军师许

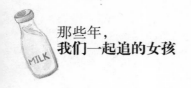
博淳简直是个屁。"我皱紧眉头，看着自己的角色被瞬间殴飞，但心中已有了计较。

没错，单兵作战是很豪爽，但失败的代价太大，我承受不起。比起豪迈的狂输，还不如用天罗地网的布局去求胜。

当晚骑脚踏车回家后，我便鼓起勇气，写了封信给沈佳仪的姐姐，贴上邮票寄到沈姐姐念的大学系所，内容不外乎是坦白自己很喜欢沈佳仪这件事，并希冀得到沈姐姐的资讯奥援。

"情敌有姐姐帮忙有什么了不起，我他妈的有沈佳仪的姐姐亲自加持！"我深呼吸，将信件丢进邮筒。

祈祷我的诚恳发生作用，最低限度沈姐姐不要跑去密告我，说我鬼鬼祟祟请她当军师。

这样还不够。

我打了通电话，找上沈佳仪跟我初中时期共同的好朋友，正在嘉义念五专的叶恩瑄，死求活求，就是要叶恩瑄发誓当我的眼睛与耳朵，将沈佳仪没有告诉我的心思泄漏给我。

"可以是可以啦，但……这样好像在做对不起沈佳仪的事喔。"叶恩瑄苦恼。

"什么对不起？哪有对不起？总之沈佳仪喜不喜欢我其实不关你的事，也没有要你帮我说话。你觉得沈佳仪是那种你拍我马屁，她就会比较喜欢我的那种女生吗？"

"那我要做什么？"叶恩瑄似乎很无奈。

"只是啊，就多给我一些沈佳仪的悄悄话，其他的我自己来就行了！"我哈哈大笑，在电话这头握紧全是冷汗的掌心。

一个礼拜后，沈姐姐回了信，内容让我雀跃不已。

"我无法告诉我妹妹她应该喜欢谁，但我欣赏你的坦白。欢迎你常常写信给我。加油！"沈姐姐这么表示，让我握信的手充满了能量。

就这样，我多了两位很接近沈佳仪心思的军师帮忙，也从这些线报中渐渐了解到，我在沈佳仪心中占据的角色颇有特别之处，既不是普通好朋友，却又还未够到"喜欢"两字的边。

但，就是特别。无法被清楚定义的特别。

我想再多一点，一点点。

"让佳仪知道我对她有一份独特的喜欢，似乎是可行的？"我喃喃自语，在阳台上，看着被天线切成好几片的夜空。

喜欢一个人说不上什么真正的时间表，让喜欢的人知道自己的心意，也谈不上什么时机是最合适的。

想想，靠着平时不断将可以聊天的话题记录在笔记本上，我跟沈佳仪讲电话的时间越来越长，已经长到可以聊三四个小时这么久。三四个小时耶！这种等级的聊天默契，应该暗示着我应该可以……比特别还要更特别一点？

这次，就撇开斤斤计较的奸诈部署，靠直觉吧。

我看着笔记本上的歌词记录，我为沈佳仪写的歌，已经快要倾泻出来了。

高中毕业旅行，去的是垦丁。历年历届都一样了无新意。

第一天的晚会，学校包下垦丁青年活动中心的大礼堂，每个班级都可以报名上台唱歌表演，要点名的，所以没有人敢擅自跑出礼堂夜游，几百人全塞在一块，意兴阑珊地听歌。

这样很好，人越多，就越对了我的脾性。

"柯腾，你要想清楚。"许博淳狐疑，忍不住提醒我。

"喔？"我拍拍脸。用力拍拍脸。

"你这样做了的话，就跟廖英宏、谢孟学、阿和等人一样了。"许博淳瞪着我。

"就当我沉不住气好了。我本来就是那种，喜欢一个人，恨不得全世界都知道的那种大王八蛋。"我振臂，为自己打气。

我拿出事先影印好了的歌词，将它发给班上二十几个早已熟练《我仍会天天想着你》歌曲的男生，吆喝大家上台。大家懵懵懂懂，等到回过神时，全都围着麦克风站好，等待我的指示。

类似罗马竞技场的环场礼堂中，主持人等着我开口，全场高三、初三的学生都看着我。我抖弄眉毛，深呼吸，将与生俱来的自信催化到最顶点。

我找到坐在台下的沈佳仪，若有似无地将视线带过她身边。

"现在，我要将一首自己写的歌，送给我很喜欢的女孩。希望多年后某一天，她还是能想起，曾经，有这么样的一个男孩，做了这么一件事，因为非常非常喜欢她。"我拍拍身边错愕不已的男同学们，说，"开始吧，我忠心耿耿的仆人们！"

全场一阵莫名其妙的躁动。我们开始合唱，用参差不齐的音律取代空白的背景配乐，效果还算差强人意。

我，从来不知道，
为何像我如此疯狂的男孩，
会遇上，会遇上如你天使般精彩的女孩。
而我，也不知道，为何自修的两旁写满你，
也不知道，是谁让我在深夜里狂叫。
我想你想你，想你想你想你……

沈佳仪听到一半，却开始跟旁边的女生窃窃私语。

"……"我暗暗心惊。

没多久，沈佳仪转身离席，不知道跑哪里去。那离去的身影让我咋舌不已。

……这算告白失败了吗？因为我的原形毕露，沈佳

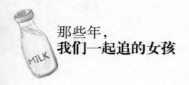
仪终于将我归类成"用早熟的情感，妨碍她念书"的那一群人里吗？还是个性有些害羞的沈佳仪，终究没有脸面对这种浩大火力？

散会后，夜游前大家都去找沈佳仪拍合照，一群都在喜欢沈佳仪的男孩靠在一起比胜利手势。由于我刚刚做了没有道明对象的告白，大家各怀心事地挤在沈佳仪旁边，对着镜头留下历史性的画面。

至于我，我只敢盯着镜头傻笑，完全不敢招呼沈佳仪的眼睛。

闪光灯。

"那首歌，是写给谁的啊？"阿和笑嘻嘻看着镜头，在我耳边咕哝道。

"就，我喜欢的女生啊。"我微笑，不采取正面作答。

"谁啊？"

"佛曰，说不得。"

"……那么，各自努力吧？"阿和比起胜利手势。

"好啊，各自努力啊。"我挖鼻孔。

老天保佑，沈佳仪可别被我吓坏才好。

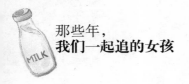
# 18

　　毕业旅行轰轰烈烈开始，平平淡淡结束。

　　回到学校，沈佳仪假装没有献歌告白这一档事，完全没有回应我，只是如往常般跟我一起读书、聊天、讲电话。我松了一口气，至少自己没有被讨厌。我果然特别……虽然距离超级特别，还有得喘。

　　但我的心境，已经无法回头了。

　　我拉着许博淳到花店，研究起跟我们很不熟的花花草草。

　　"干吗到花店？难道你要买花送沈佳仪？"许博淳感到不自在。

　　"是这样没错。"我苦恼地看着花花草草上标明的花语传情。

　　每一朵花似乎都有它的意义。红玫瑰象征热烈的爱情，百合象征纯洁的爱情，紫色郁金香代表渴望的爱情，黄色郁金香代表永恒的爱情，七里香代表我是你的俘虏，玛格丽特是期待的爱情。

　　每一种意义，都跟他妈的爱情扯得上边。扯翻天了。

　　如果照这样送，我就一点也不特别了。

　　"你不要发疯了，沈佳仪不会喜欢你这样送花吧？"许博淳不以为然。

186

“那是别人。”

“啊？你在说什么啊？”

“那是别人。我不是别人。”我自言自语，慢慢说道，“别人送花恶心，我送花，还可以。”

我睁大眼睛，拿起了一朵俗称“小耳朵”[1]的花。

小耳朵没有穿凿附会的啰唆花语。它丑得很可爱。

“靠，好丑。”许博淳有些反胃。

“还可以。”我若有所思，端详着小耳朵。

杨过有小龙女，我有沈佳仪。杨过有龙女花，我有小耳朵。而杨过有大雕，我有许博淳。这不是命运使然是什么！

“走吧，雕兄。”我拍拍许博淳的肩膀，拿了一朵小耳朵付了账。

此后，沈佳仪位于大竹的家门口，便偶尔会出现我经过的痕迹。

一朵放在门下的，丑丑的小耳朵。


第三次模拟考结束，每个高三生都拿到一份大学甄试的简章。

放学后的黄昏，我拿着简章跑到和班门口。

“沈佳仪，你要参加甄试吗？”我翻着简章，杵着下巴。

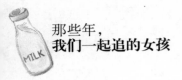
"不知道耶，我还在研究简章。你呢？"沈佳仪也拿着简章。

"我也还在看，不过还没有想法。成大工业设计的限制蛮多的。"我搔搔头。

"但是我注意到交大管科，我有点想甄试那里，因为只有选考国、英、数三科。但我还不知道那个科系是在做什么的耶。"沈佳仪指着简章里的一页。

"管理科学啊……"我记在心上。

那还用说吗？以前我可以为了李小华跑去念我一点都不爱的自然组，现在，我当然可以为了沈佳仪，去念管理科学。

就这么决定。

我做了点功课。交大管理科学系共有两个组别，社会组，跟自然组，每个高中都各有两个名额。也就是说，我们学校共有两个学生可以参加社会组的管理科学系的甄试。

补习班前的阶梯。

"其实你不喜欢念二类组理工科的话，甄试管理科学这种模棱两可的系，说不定是你逃掉自然组的最后机会耶。"许博淳说，增长了我的想法。

"好像真有那么一点道理。"我将包好鼻涕的卫生纸，偷偷塞进许博淳的裤袋里。

当时精诚中学要参加大学甄试，是以成绩作为校内初选的依据。我的成绩还不错，沈佳仪的成绩更是棒透了，要排上甄试管理科学的顺位并不难。我可不愿意跑去甄试自然组的类别，因为如果以最顺利的状况，我们两人都进了交大管科，我又要面临跟沈佳仪不同班的恨境，我不要。

"所以，我要参加社会组的管理科学考试。"我深呼吸，开始催眠自己管理科学系，果然是，行！

回家后我告诉爸妈这个决定，爸妈都觉得很诡异，怎么莫名其妙跑出一个之前都没听过的志愿，但看在交大的名号还不错，也没怎么阻止我。而赖导也十分错愕，但在我没有商量空间的眼神下，只好在文件上签名。

有了明确的目标，我开始猛爆性地用功。

到了假日，天一亮我就连滚带爬起床，到文化中心门口报到，一边背英文单词一边等管理员开门，顺便多拎一个袋子帮沈佳仪占位。中午我拿着国文课本，从文化中心旁的小径一路念诵到八卦山上，然后挑一棵豪爽的大树坐下，悠闲写写英文考卷，彻底吸收日月精华后再慢慢走下山，回到文化中心算数学。

文化中心的冷气，让人真想好好趴在桌上昏迷一下。

"沈佳仪啊沈佳仪，到了大学我一定要追到你，你等着看好了！"我打哈欠，看着坐在对面桌子的沈佳仪。

……沈佳仪这用功鬼笃定闯过联合笔试，我可不能先一步阵亡。

仔细想想，我的物理化学只有中上的成绩，这下专攻我最擅长的国英数三科，算是合了我的算盘。是的，

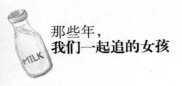

人生没有巧合，我老是拿这三科共同科目去跟沈佳仪赌赛，一定有其意义。

寒假前夕，大学甄试入学的笔试会场，我却没有看见沈佳仪。

"搞屁啊？"我抓头，在考场间来回穿梭。

一连问了好几个人，杨泽于、廖英宏、阿和等人，全都不晓得沈佳仪是出了什么状况。那是个没有手机的年代，一整个就是让人不知所措。

"该不会是睡死了吧！"我傻眼。

这不像是四平八稳的沈佳仪会做出来的事啊。

该不会，沈佳仪在路途中出了什么意外？

在惴惴不安的心情下，笔试一堂堂过去了，我写得魂不守舍。

我一出会场就打电话给沈佳仪，幸好接电话的正是沈佳仪自己。我忙问她到底是怎么回事。不问还好，一问之下，我全身都遭到强烈电流袭击。

原来和班有个女生，初选排名在沈佳仪之后，却希望沈佳仪把甄试管理科学的名额让给她，一番沟通后，沈佳仪便真的将名额礼让出来。

"靠！那你怎么没告诉我！"我惨叫，快要死在公共电话亭。

"唉，就这样子啊。"沈佳仪也不知道该说什么，语气抱歉。

我脑袋一片空白，真的很想杀个什么蛋。

后来我查了一下，那个取代沈佳仪参加甄试的女生，根本就没来考试，原因不详，完全辜负了沈佳仪让贤的美意。整件事，根本就是命运大魔王在恶搞我！

"要不要去信愿行拜拜？"许博淳耸耸肩。

"不要！"我暴走。

寒假过后，成绩结果出炉。

我闯过了联合笔试，取得交大管科的口试资格。

此后的发展简称"怨男的悲情复仇"，我带着无限的恨意，拎着一堆似是而非的履历，来到男女比例七比一、简称男塾的交大参加面试。

面试共分四个关卡，其中一项是笔试小论文，题目好像是"追求成功"之类的狗屁倒灶[2]。其余面试的三个关卡分别在三间教室举行，每个关卡都有二至三个教授把关。躲在试场的教授似乎在玩一种压力游戏，许多考生从里面出来都是泪流满面的，我瞧这些爱哭鬼全都躺在出局名单中。

"我死都要笑。"我扭动脖子。

而对命运大魔王怀抱巨大恨意的我，则处于奇妙的超转状态。连续三关，随着教授的凌迟，我剩下的耐性越来越少。

"你当过两届佛学营的领队，那么，请问'佛'是什么？"瘦教授看着我。

"这种事我说得清楚才怪，正所谓道可道，非常道。"我皱眉。

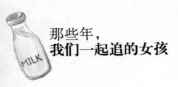
"柯同学，你为什么认为本系所应该录取你？"胖教授意兴阑珊。

"If you risk nothing, then you risk anything."我看着墙上的钟，这面试好久。

"有点答非所问喔。"另一个教授冷笑，摇晃着我的高中成绩单，说，"你的成绩很烂，这种程度还敢来甄试我们交大！"

"拜托刚刚好好不好！我全校排名二十六耶！"我瞪着教授，说，"如果我的成绩再好一点，我就去考医科了，还跑到这里考管科？"毫不畏惧。

就这样，面试结束。

我被录取了。

【1】模样像火鹤、却没有火鹤那么丑的、红色的花。

　　【2】事后这项目我拿了九十七分，根本就是神乎其技的唬烂。

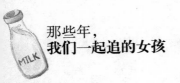
那些年，
**我们一起追的女孩**

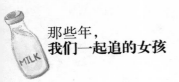
# 19

　　就这样，阴错阳差之下，我甄试上交大管理科学系，尽管原因与过程都有些不可思议，但我终究很高兴不必继续面对大学联考。

　　跟我比较要好的几个死党里，都没有人提前甄试上大学，所以大家都很羡慕地看着我"单飞"，在高三下学期自由自在游晃在学校里，用讨人厌的笑脸活着。

　　没有啃书的理由，我整天就是听"空中英语教室"广播练英文听力，在桌子底下偷看《少年快报》。补习班那种鬼地方当然是不必去了，但我还是每晚留在学校陪沈佳仪念书，随时准备花一盒饼干的时间，与她排遣念书的苦闷。

　　白天教室里，我开始做一些很奇怪的事，例如在抽屉里种花，把考卷撕成细碎的纸片当雪花到处乱洒在同学头上。此外，我老是在找人陪我到走廊外打羽毛球，流流没有联考压力的汗。

　　"许博淳，要好好念书，大学联考这种东西可是一点也轻忽不得呢。"我拿着两只羽球拍，一只猛敲许博淳的头，说，"喂，陪我打羽毛球！"

　　"干，你去死啦！自己左手跟右手打！"许博淳跟我比中指。

不必联考了，我满脑子都在计划要如何在毕业时给沈佳仪一个小惊喜，还有如何在毕业后与沈佳仪保持联系。以及，思考何时才是"认真告白"的良机。

　　我无聊到，猛练习"三十秒流泪"的技术。

　　"为什么要练习三十秒就哭出来的烂技术？你欠揍喔！"许博淳狐疑，看着泪眼汪汪的我。

　　"不是。你想想，如果我跟沈佳仪各自上了大学，在火车站分开的时候，如果我可以神来一笔掉下几滴眼泪，是不是很浪漫？她会不会更喜欢我？"我擦掉眼泪，擤鼻涕。

　　"你有神经病。"许博淳正色道，"不过你是怎么办到的？还真有一套。"

　　"我都幻想我家的 Puma 突然死掉，我却不在它身边的情况。超难过。"我笑笑。

　　好期待，好期待联考结束，告白的季节来临。

　　联考越来越近，学校按惯例停课。

　　为了沈佳仪而活的、三年努力热血念书的高中生涯，就要结束了。

　　不用联考的我，每天都拖到中午才去学校接受大家的讨厌，找人打羽毛球。某天早上六点半，床头的电话铃响，我两眼惺忪、手脚踉跄跑去接电话。

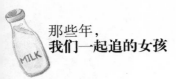
"柯景腾，起床！"沈佳仪朝气十足的声音。

"啊？什么？"我迷惑。

"起床陪我念书，起床，起床！"沈佳仪义正词严。

"……去学校吗？"我嘻嘻，清醒了一大半。

"不是，就是起床。你最近太混了，不用联考也不是这样，给我起床！"沈佳仪将话筒拿到音响旁，按下播放键。

话筒传来慷慨激昂的古典乐，我虎躯一震。

"搞屁啊？"我说，但没人回话。

沈佳仪肯定是把话筒搁在音响前了……这个我行我素的家伙。

由于不知道沈佳仪什么时候会再接过话筒，我只好捧着电话，蹲在地上揉着眼睛打哈欠，将古典乐老老实实听完。

"怎么样？醒了吧？"沈佳仪哼哼，接过话筒。

"还真谢、谢、你、喔！"我咕哝，心底却很高兴。

"以后我每天早上都会打电话叫你起床，你啊，做好心理准备！认真想想大家在准备联考的时候，你可以怎么充实自己。"沈佳仪很认真的语气。

"人生如果睡得不饱，怎么充实都很虚耶。"

"你不要狡辩，明明就是太晚睡。你要有理想一点！"

太晚睡还不是在等你念完书，讲完晚安电话再合眼？我暗道。

"那我每天都要听不同的音乐起床，不可以重复。一被我听出是重复的，我就挂电话睡回笼觉喔！”我可是很挑剔的。

对一件事情的重视，就是花在上头的时间。

多给沈佳仪一些习题，让她在叫我起床时多些忙碌，也就是帮助她养成重视我的习惯，久而久之，沈佳仪跟我之间就会有更多羁绊。那样很好。

“这有什么问题。你发誓，你不能去睡回笼觉。”沈佳仪似乎很有精神。

“遵命。”我打哈欠。

“遵命什么，发誓！”

“发誓。”

我挂上电话，觉得真是超幸福的。

深深喜欢的女孩子，每天早上都要打电话叫我起床耶！

“老天啊，这是恋爱的信号吧？是吧？是吧！是吧！”我祈祷。

此后每天早上六点半，沈佳仪只要一起床，就会打电话把我从床上硬挖起来，她会将话筒放在音响旁，用一首又一首古典乐或英文老歌震动我，直到我完全清醒为止。

如此幸福的气氛下，我再无法克制表达喜欢沈佳仪的举动。恋爱果然是很人性的东西，不可能全都充满步步为营的计谋，那样太压抑，太不健康了。

有好几个晚上，我都在跟我很不熟的厨房里跟奇怪

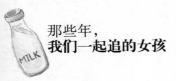
的食物搏斗，然后煮了些绝对不成敬意的东西，放在便当盒里，骑脚踏车送去给沈佳仪当宵夜。偶尔，再附上一朵独属我跟她之间的小耳朵。

超娘的，但一条硬汉愿意很娘的时候，我猜想应该还挺感人的吧？

"沈佳仪吃才怪，一定都倒掉。"许博淳对我的举动嗤之以鼻。

"倒掉也没关系，重点是我有做，她有收。"我傻笑。

停课两个礼拜后，毕业典礼姗姗驾到。

毕业典礼那天，沈佳仪送了我一大束花，害我高兴到想在典礼奏乐时假哭都办不到，直到我发现每个死党都非常公平地收到沈佳仪送的花，我才整个想飙泪。混账啊，我真希望自己可以得到沈佳仪特别一点的对待。

大家忙着在制服上签字，拍照，这头告白，那头分手，互相在毕业纪念册上落款等等。沈佳仪更收到了许多男孩的毕业礼物。

沈佳仪在我的毕业纪念册写下：

for 有为青年：
六：三〇起床是好习惯，不过，要自己起床才伟大！

希望在"精选"音乐的熏陶下，变得更有气质！！

佳仪，6.19


　　我也特地将制服左上角的、最有意义的位置，留给沈佳仪签名。

　　"你的礼物，喏，别说老朋友没记住你。"沈佳仪将证严法师最新出版的静思语笔记书送给我。混账，我一点也没有意思要搜集全套！

　　然后换我。

　　"送你的，毕业快乐。我自己画的，要穿喔！"我将一件自己用特殊颜料画的衣服递给沈佳仪。

　　"喔？这么好。"沈佳仪笑笑收下，当场打开衣服。

　　衣服上的图案，是一个黑白分明的眼睛，眼睛里嵌着一颗红色的苹果。

　　"什么意思啊？"沈佳仪不解，歪着头。

　　"查查英文字典啊笨蛋。"我抖弄眉毛，神秘兮兮。



　　典礼结束，回家后，我如预期接到沈佳仪打来的电话。

　　电话那头，是我从未听过的、期待已久的感动声音。

　　很简单，却很受用。

　　"谢谢你。我现在，根本说不出话来。"哽咽。

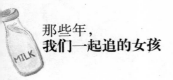

"我在，交大管科系等你。"握拳。

You are the apple of my eye.[1]
你是我，最珍贵的人。

十二天后，沈佳仪穿着我的祝福，上了联考战场。

"就当是，借一下你的运气啰！"沈佳仪有些腼腆。

"没问题，我们并肩作战。"我很开心。

分数出来那晚，我却听见天使痛哭的声音。

沈佳仪表现失常，成绩确定无法上交大管科，大约落在中央经济与台北师院附近。

我们在电话里聊了七个小时，彼此都舍不得放下电话。我身体里某个阀口逐渐失控，许多"一直以来，我都很喜欢你""你以为我这么认真念书是为什么？""你是我高中生活最重要的记忆"，一鼓作气全都爆发出来。

最后，我握紧话筒的手渗出温热的汗水。

"我想娶你。我一定会娶到你，百分之百一定会娶到你。"我克制语气中的激动，说出与我年纪不符的咒语。

沈佳仪深呼吸，深深深呼吸。

"现在你想听答案吗？我可以立刻告诉你。"沈佳仪的语气很平静。或者，我已经失去能力，去分辨她语气里隐藏的意义。

突然，我感到很害怕。我极度恐惧，自己不被允许继续喜欢这个女孩。

那种事情发生的话，可以想见我的生命将如虚踏河面的叶，纵使漂浮在潺潺流水上，却仍将渐渐枯萎。

"不要，我根本没有问你，所以你也不需要拒绝我。我会继续努力的，这辈子我都会继续努力下去的。"我的激动转为一种毫无道理的固执与骄傲。

"你真的不想听答案？"沈佳仪叹气。

"我不想。拜托别现在告诉我，拜托。"我沉住气，"你就耐心等待，我追到你的那一天吧。请让我，继续喜欢你。"

就这样，我从未乞讨过沈佳仪的答案。

直到地震的那一夜。

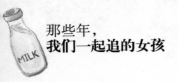

那些年，
**我们一起追的女孩**

---

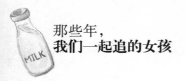
## 20

升大学前的夏天，我上了成功岭，受偷鸡摸狗的军事训练一个月。

在成功岭我收到了我两个线民叶恩瑄与沈姐姐的来信，告诉我沈佳仪听到我的告白后，似乎是蛮开心的。这消息大大鼓舞了我。

在汗臭味四溢的军队里，我理所当然写了上万字的信给沈佳仪，每一封信的最后都强调同一件事：上了大学，在选择其他男孩之前，多看我几眼。我很好，错过了就不会再遇到的那种好。希望她知道。

站在大通铺门口当卫兵，百般寂寥的我，又为沈佳仪写下了一首歌。

"果然，到了大学才是决胜负的开始。"我苦笑，反复记诵着旋律。

晃着三分平头下成功岭，带着一大叠沈佳仪的回信，我来到于新竹的交大。沈佳仪则进了台北师范学院，准备以后当小学老师。

台北与新竹的距离不算远，但怎么说都是个障碍。

说说我的情敌们坐落的位置吧。

很喜欢沈佳仪的诗人谢孟学考上北医牙医系，距离沈佳仪最近，如果常约会的话难保不会将我击沉。爱搞笑的廖英宏、大而化之的杨泽于、低调行事的杜信贤，则不约而同考上台中的逢甲大学。劲敌阿和也考到台中的学校，驻守东海大学企管系。

不是情敌的部分，跟我同一天生的李丰民也念了逢甲，赖彦翔读了辅大，许博淳则因为太常打手枪考不好，跟曹国胜一起到重考班窝了一年。

进入了大学，仿佛进入了另一个世界。

在那名为大学的新世界里，没有人逼着我念书，也不存在太明确的念书目的（当个对社会有用的人？这种目的不需要靠念书就可以达成吧！），我就这么开始了松散悠闲的大学步调。

我跟室友加入了"对方辩友来、对方辩友去"的辩论社，想训练自己的思考速度跟精致度，却只在新生杯里拿下第三名。后来因为特殊原因，我养成了常常在辩论社社窝睡觉的怪习惯。

大一我还没有机车代步，几乎在图书馆里度过我没有课的寂寥时光。我在图书馆里不断借阅电影录影带，在小小的格子桌上呆呆看完包罗万象的电影，尤其是日本人拍的一堆主题混乱的烂片，我都恍恍惚惚看个干净。

比起彰化文化中心小不拉叽的藏书，交大图书馆架上的书目类型，也让我大吃一惊，越是胡说八道的东西我越爱看，什么青海无上师的布道内容、中国刑罚大观、倪匡的劳改日志、外星人强奸母牛，我全部照单硬食。

大一一整年我显然累积了丰沛的、可供小说创作的

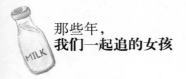
杂学基础。

而我跟沈佳仪，也开始在宿舍通电话。

"真的想我吗？"

"想，超想的。"

"那你什么时候回彰化？我们一起去看周淑真老师。"

"就这个礼拜？"

"到时候你来火车站载我啰？"

"那有什么问题。"

是的，就是这么暧昧。即使没有办法更进一步，我也乐在其中。

有人说恋爱最美的时期，就是暧昧不清的阶段。

彼此探询对方的呼吸，小心翼翼辨别对方释出的心意，戒慎恐惧给予回应。每一个小动作似乎都有意义，也开始被赋予意义。

走在一起时，男生开始留心女孩是不是走在安全的内侧，女生则无法忽略男生僵硬的摆手，是不是正在酝酿牵起自己的勇气。

女生迷上恋爱心理测验，男生开始懂得吃饭时先帮女生拆免洗筷的塑胶套。

一切一切，不只是因为自己想"表现得好"，更是因为自己的心里出现一个位置，独属于地球上另一个人——那一个人。这种几率大约是，五十七亿分之一。

但我的王牌线人，显然有另外的想法。

"暧昧很棒，但你最好别让这种情况拖太久。"叶恩瑄在电话里建议我。

"为什么？我觉得现在挺不错的啊。我觉得沈佳仪绝对是喜欢我的，只是成分多少的问题。"我在宿舍用室友的电脑写程式 C 语言，一边讲电话。

"你怎么可能保证沈佳仪在大学里不会遇到更好的人？总是有会送宵夜的学长，谈吐很好的资优生同学，跟你一样才华横溢的社团朋友啊！如果沈佳仪被其中一个追走了怎么办？到时候你可不要跟我哭。"

混账，我都尽量不去想这种事了，你还提醒我！

"也许会有比我更好的人，比我更适合她的人，但……我不会输的。"我别扭地说，看着萤幕上充满 bug 的程式码。

"怎么说？"

"我很特别。"我想。

应该是吧……不然我也不知道从哪里找出更好的回答。

"柯景腾，我真是会被你气死！"叶恩瑄骂道。

"哈哈，反正我想等沈佳仪多喜欢我一点，我再正式问她要不要跟我在一起吧。现在问，万一被拒绝了，我会很想死。"我移动滑鼠，忍不住叹气，"你如果真想帮忙，就想办法制造个漂亮的机会给我吧！"

我真是，太胆小了。我的自信在绝不能输的爱情面前，根本一无是处。

这份不适合粘在我身上的胆小，也有大半来自我另

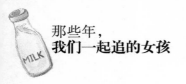
一个首席线民沈姐姐，某封信里的一句话："如果你跟佳仪一样高的话，我想你已经追到我妹妹了吧。"

差了三公分，我可得比别人努力个三倍，才能填补其中的差距吧。

慢慢填，不急不急……我心想。

至此，我得提提我这辈子目前为止，恐怕是最开心的时刻。尽管在许多人眼中，这件事根本就是一颗鼻屎。

在交大这种网络文化空前盛大的学校，我几乎是第一天就学会了使用网络。我很快就在 bbs 成立一个美三甲班级板，希望我们这群死党可以透过网络继续联络。

当然，我也帮沈佳仪注册了一个账号，密码暂时设定成她的生日。

"等到你上站后，你可要自己改密码啊！"我提醒。

"我最近很忙啊，对 bbs 也不熟，很可能要过好久才会上去喔。"沈佳仪。

沈佳仪果然没有立刻学上网，而且拖了好几天账号都没有动静，我时不时便用她的生日密码登录，确认她到底要拖到什么时候。

直到有一天深夜，我发觉旧密码登录失败……这意味着沈佳仪已经开始上网，并且更改了密码。我愣了一下，突然间，我很想知道沈佳仪选了哪些数字当新密码。

她家的电话号码？不对。

她家的电话加她的生日？失败。

她的宿舍号码？错误。

连续三次错误，系统退出登录画面。我重新再来一遍。

"会不会……"我深呼吸，手指颤抖。

缓缓地，键入我的生日。0825。

使用者进入画面。

我傻眼，不再呼吸，时间一震。

某种我还弄不清楚的情绪扯着我的后脑，快速将我整个人拉离椅子，握紧我的拳头，撕开我的喉咙。然后一巴掌重重摔在我的背脊上。

我大吼。

大吼着我来不及给予意义的狂暴。

已经睡着的三个室友以为外星人跑来寝室放火，不约而同大惊起身，却见我疯狂拉开门冲出寝室，野兽般大吼，毫无节制地啸过长长的走廊，走廊干声四起。

我一路吼冲到公共浴室，终于弄清楚我该吼什么东西了。

"她用我的生日！她用我的生日！"我抓乱自己的头发，运拳狂殴墙壁。

碰碰碰碰碰碰！碰碰碰碰碰碰！双拳红肿，声响却跟不上我兴奋的心跳。

我喜欢的女孩，竟然用我的生日当作账号密码。

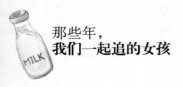
应该感动到哭的吧？我却无法停止地狂吼，大笑。

我跳到洗手台上，看着镜子开始长达好几分钟的超快速演讲，无视其他人的狐疑眼神。

我会永远记住，这个时候的自己。

我，无敌了。


狂喜过后的周末，我才刚刚回到彰化，就接到阿和的电话。

"我有话跟你说，有没有时间？"阿和的语气迫不及待。

"好啊，约在哪儿？"我抱着狗狗 Puma。

"文化中心附近的茶栈吧？半小时后见！"

我不晓得史上最强情敌的阿和要跟我说什么，反正我已经无敌了。

半小时后我到了茶栈，看见阿和的脸上堆满怪异的笑意。随便点了饮料，省下"你大学生活过得怎样"这样的空虚言谈，我直接破题。

"怎么了？感情的事？"我有些心虚，摸不清楚阿和约我的目的，真是讨厌。

"对。"阿和兴奋地说，"我喜欢上了一个女孩，超可爱的，快要追到了！"

我歪着头，快要追到？

"东海的？"我小心翼翼猜。总不会是沈佳仪吧？

"东海的啊，同一个系，一起做劳动服务课的同学。她叫小小。我跟你说……"阿和一整个就是面红耳赤的兴奋，开始滔滔不绝的恋爱经。

我慢慢听着，脸上不自觉绽放出灿烂的笑容。

这家伙喜欢上别的女孩，而且快追到了。真好。真是太好了。

"你如果真的追到小小，百分之百，除了你，我肯定是这个世界上最高兴的人。加油！你一定要加油！"我突然大笑，用力拍着阿和的肩膀。

"我不懂。"阿和虽然欣然接受，但一脸笨蛋。

"不懂？因为我在喜欢沈佳仪啊！"我理所当然地说，"不要再装了，别跟我说你不知道啊！"

"我不知道啊！你在喜欢沈佳仪？"阿和大惊。

"少假了啦，许博淳没告诉过你？"我哼哼，翘起二郎腿。

"没啊！他应该告诉我吗？"

"没？"

"没有啊！天啊你真的在喜欢沈佳仪！难怪我总觉得你不对劲！"阿和大叫。

"……"我傻眼。

原本我用的计谋，就是利用许博淳跟阿和是好朋友的关系，将我的"秘密"偷渡到阿和的耳朵里，诱拐阿和狂追沈佳仪……但现在，阿和竟然告诉我，许博淳那

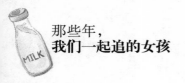
家伙根本没告诉过他我的秘密！

许博淳，你这个爱打手枪的家伙实在太令我感动了！绝对没有人比你更适合，死守"国王的驴耳朵"这样的烂秘密啊！谢晋元团长！四行仓库就交给我的好兄弟许博淳吧！

大笑完，我松了最后一口气。

"是啊，一直以来，我都超级喜欢沈佳仪的。"我爽然若失，开始跟阿和说起以前的计谋，以前沈佳仪与我之间发生的种种回忆。

阿和愣愣地听着，脸色一阵青一阵白，直嚷着我实在太奸诈了。

最后我们开始释怀大笑，互相挖苦对方，我拼命祈祷他追小小成功，而阿和也勉为其难将他追沈佳仪所用的运气转嫁给我。

"我退出，接下来，就看你的了。"阿和伸出手。

"那有什么问题！"我击掌。


一个礼拜后。

我跟沈佳仪搭上了清晨出发的火车，一起前往拥有最美丽日出的嘉义。

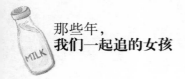

## 21

　　最近我同时写两个故事与两个电影剧本大纲，等待
军方征召我去当兵的那张纸。每个月轮到"那些年，我
们一起追的女孩"与手指键盘共舞时，就是我最期待的
时刻。

　　每一段爱情都是人生，而我靠着不断不断回忆的勤
劳功夫，将这些遥远的记忆重新整理，敲打成文字，仿
佛在青涩的过往里又活过了一次。

　　上星期整理旧家，妈从神秘的黑洞里拖出两只箱子，
交给了我。

　　箱子一大一小。大箱子里装的是那些年沈佳仪与李
小华写给我的信，以及一些诸如证严法师静思语这样的
小礼物。

　　信件一叠叠，发出不让人讨厌的老气味，真庆幸我
曾经活在那个"电子信件连影子都还没看到"的年代。
用笔一个字、一句话在信纸上构筑的世界，配上小猫小
狗的点缀插画，没有千篇一律的生冷新细明体，没有俯
拾即是的表情符号，拙劣信纸所拥有的意义更饱满，一
切都像是小心翼翼端出来的精品。

　　但我还来不及细细回味，就被小箱子里许多乱七八
糟分类的照片给吸引住。

照片里的大家穿着打扮都很白痴，靠在沈佳仪旁装模作样的表情教我忍俊不已。我很懒惰，这些老照片我看是永远都无法扫描成数位备档了，但真该找些时间，一股脑将这些照片摊在桌子上让大家瞧瞧当年的蠢样，看看能不能再烧点青春，劈哩趴啦回锅一下。

正在星巴克敲打笔记型电脑，写下这段文字，消磨与出版社晚餐约之间的空档。悄悄入了初冬，咖啡店里每个人都套上薄薄的外套，窗户外面的情人们也开始将手放进同一个口袋，共用一双手套。

就跟那个时候一样。

秋天走了，寒意还未结成一片冬。

某天在交大的夜里，我的好线人叶恩瑄捎来一个机会。

"我们嘉义农专下个礼拜校庆，我班上有个摊位卖东西吃，你跟佳仪都来吧，我同学会开车，园游会结束后我叫他们载我们出去玩！"叶恩瑄在电话那头。

"一群人喔，这样算是约会吗？"我犹疑。

"喂，难道你敢一个人约沈佳仪出来？"叶恩瑄大声说道。

"是不敢。那我们要开车去哪里玩？"我搔搔头。是真的很难想象我跟沈佳仪两个人一起出去玩的情形，我

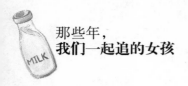

怕尴尬，尴尬会毁了我。

"来嘉义，当然是去阿里山看日出啊！"叶恩瑄自信满满地说，"我都计划好了，我们晚上不要睡觉来熬夜，去看二轮电影，看完以后就直接开车上阿里山，坐小火车到山顶。"

听起来还真不错。

"那，如果我告白的话，会有多少机会？"我忍不住问。

"沈佳仪不是已经知道你喜欢她了吗？"叶恩瑄语气讶异，"如果现在沈佳仪还不知道你喜欢她，那才真的不可思议咧！"

"喔……那我修正一下告白的定义，如果那天我问沈佳仪要不要当我女朋友的话，胜率有没有破九成？"我坐在地上，翻看手上的行事历。

"吼！这种事不要问我啦，会不会成功只有你自己最清楚啊！"叶恩瑄没好气道。

"好吧，那我自己看着办。对了，你……你该不会两头报信吧？"

"什么意思？"

"你该不会跟沈佳仪说，我可能会趁机会跟她告白吧？"我小心翼翼打探。

"谁跟你一样小人啊！"叶恩瑄哼哼，挂上电话。

"……"

对我来说，告白如果只关心成不成功就太逊了，因为"如果一旦成功，就不会再有下一次的告白了"。告白当然要成功，所以仅有一次机会。因为仅有一次机会，当然就得想办法让告白漂漂亮亮，永生难忘。

认真说起我最喜欢的告白方式，莫过于人海战术下的种种变化，简单说就是哗众取宠。但嘉义不是我的地盘，找不到伙伴制造人海，也翻不到熟悉的地理资源可以利用。阿里山不是八卦山，跟我一点都不熟。

"那么就见机行事吧？"我苦恼。

一周后，我跟沈佳仪一大清早就约在彰化火车站门口，买了早餐，搭上前往嘉义的自强号。

仔细想想，这还是我跟沈佳仪除了晚上在学校念书之外，第一次两人独处，弄得我异常紧张，没有办法像平常一样跟沈佳仪畅所欲言，只好乱打哈哈。而沈佳仪显然也有些不知所措，尽捡些不知所谓的事情跟我说。

"你看起来很想睡觉耶。"

"你自己还不是一样。"

"想吃我手中的肉包，就得苦苦哀求我。"

"才不要，我已经吃饱了。"

诸如此类的对话，让我忍不住开始深思今天的嘉义之旅会有多悲惨。如果嘉义之行彻底毁掉，说不定我会反省自己究竟"适不适合"跟沈佳仪谈恋爱，还是只是适合当个朋友这类很孬种、却很实际的相处问题。

忘了我们两个笨蛋是谁先睡着的，到了嘉义下了火车，两个人都是一副大梦初醒的蠢样。

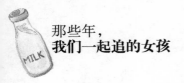
等在车站的叶恩瑄一看到我们这个样子，都忍不住摇摇头，心里大概很鄙视我平白浪费在火车上小约会谈心的机会吧。

到了嘉义农专的校庆园游会，我跟沈佳仪还是没能进入平日自在的相处气氛，两个人慢慢绕着每个摊位，有一搭没一搭研究起各家小吃。

随着话题迟迟无法突破瓶颈，我越来越紧张，脑子里的不良物质逐渐淤积沉淀，终于错乱了我平日的思考。

要爆了。

"沈佳仪，你对我喜欢你这件事有什么看法？"我打开嘴巴，让这句笨话自动冲出来。

"……"沈佳仪停下脚步，有些吃惊地看着我。

"任何感觉？"我笑笑，无法分辨脸上的表情长什么样。

"我的天，你到底想说什么？"沈佳仪露出古怪的表情。

"不是我想说什么，而是想听你说点什么。"我故作轻松。

沈佳仪脸上挂着意义不明的笑容，开始深思不说话，似乎无法一时半刻回答我的问题。

站在冰淇淋摊贩前，我买了两只甜筒，一只递给沈佳仪。我心中暗暗发誓，下次两个人逛街买甜筒的时候，一定只买一只。

"我怕你喜欢的那个我，不是真正的我。"沈佳仪幽幽说道，吃着甜筒。

"什么意思？"我失笑。这是从漫画里抄出来的烂台词么？

"柯景腾，你真的喜欢我吗？"沈佳仪坐在花圃旁，我也坐下。

"喜欢啊，很喜欢啊。"我故意说得大大方方毫无窒碍，免得话一慢，胸口的气就馁了。浑然不知，我手中的甜筒融化得都快滴下。

"我总觉得你把我想得太好了，我根本没有你形容的那么好，也没有你想象的那么好。你喜欢我，让我觉得很不好意思。"沈佳仪有些腼腆。

真是……在说些什么啊？

"啊？"我歪着头。

"我也有你不知道的一面啊，我在家里也会很邋遢，有时也会有起床气，有时也会因为一点小事就跟妹妹吵架。我就是很……很普通啊！"沈佳仪越说越认真，我则越听越不知所云。

"乱七八糟的，是看太多证严法师静思语的副作用么？"我皱眉。

沈佳仪噗嗤笑了出来。

"真的，你仔细想想，你喜欢我吗？"沈佳仪吃着甜筒。

"喜欢啊。"我大声说道。

"你很幼稚耶，根本没有仔细想。来，仔细想。想

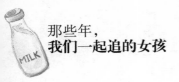

想再说。"沈佳仪用眼神敲了我的头。

我只好象征性沉默了一会，但我的脑子里根本没有花精神在转这个不须思考的问题。我本能地想着：沈佳仪为什么要问我这个问题？

花圃旁，沈佳仪专注地吃着甜筒，我则越想越恐怖，开始后悔为什么要在很尴尬的时候进出这个更令人尴尬的话题，导致自己无法收尾。

此时，叶恩瑞气喘吁吁跑了过来，看见我们坐在花圃旁吃甜筒，没好气地双手叉腰，摇摇头。

"好啦好啦，我们园游会小小的其实很无聊，你载沈佳仪出去走走啦，记得在晚饭时间前回来就好！"叶恩瑞眨眨眼，递上一串车钥匙。

救星，你真是太有义气了。

我当然接过钥匙，几分钟后我就载着沈佳仪一路往嘉义农专的山下滑冲。

"别骑太快。"沈佳仪在我耳边说，双手抓着车后杆。

"怕的话，就抱住我啊。"我开玩笑。一个期待发生的玩笑。

视线是一种很奇异的东西。

一个男孩与一个女孩刚开始认识彼此，就选择喝下午茶、或好整以暇吃顿晚饭，常常会大眼瞪小眼，反而是不善言语的男女错误的约会策略。想想，彼此的眼睛必须摆在对方脸上的话，若没有足够的交谈内容支撑彼此的视线，就很容易陷入尴尬的境地，"相对无言——

惨绝人寰"。

所以陌生的男女要约会，选择看电影是很理智的做法，因为看电影的正常视线，可是要放在遥远的大萤幕上，不用看对方，也不用多说一个字（完全沉默也是种格调），一切都很自然，不需承受额外的压力。

而男生载女生骑车，在视线的投注上也有减缓压力的奇效。在弯弯曲曲的山径上，迎着让人不得不清醒的凉风，我俩有说有笑，刚刚的莫名尴尬不知不觉随着初冬的凉风冻结在后头。

然后是一阵让人温暖的沉默。

山风吹拂鱼鳞般的金色阳光，引擎声砰砰击打无语的节奏。

我只是静静地骑着车，感觉沈佳仪此时此刻只与我在一起的奇妙滋味。希望沈佳仪也有"此时此刻"的印记感，收进名为"柯景腾"的抽屉里。

"喂。"

"？"

"我喜欢你。"

"我知道啊。"

"真的。"

"好啦。"

"超级喜欢的。"

"可以了！你不要那么幼稚！"

山风里，我牢牢看着后照镜里，沈佳仪羞赧的神情，

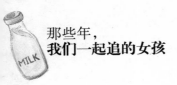
看得快出了神。

真希望我们之间的一切，最后能有个无悔的结果。

醉翁之意不在酒的园游会结束，在嘉义市区嗑了道地的火鸡肉饭，又熬过了两部不知所云的二轮电影，我们一行人终于踏上朝拜日出的旅途。

车子绕过拐来拐去拐到吐翻天的山路，加上一路猛打哈欠，我们好不容易来到阿里山的火车站，挤上传说中很有古怀情调的小火车。

接近破晓的蓝色温度，将整座山冻得连树叶都在发抖。小火车在黑夜里哆嗦不已，挨着冰冷的铁轨，摇摇晃晃地像条胖大虫。

双颊红通通的沈佳仪坐在我对面，冷得直发颤，不断朝手掌呼热气。好可爱。

善于制造机会的叶恩瑄对我眨眨眼，丢了一对毛茸茸手套给我们。

"一只给佳仪，一只给你。你们吼，真的很欠常识喔。"叶恩瑄哼哼。

于是对半。

我的右手戴上手套，沈佳仪的左手戴上手套，两个人默契地不表示什么，生怕一旦用玩笑解除共用手套的尴尬的同时，隐藏的幸福羞涩也会一并消失。

我乖乖闭嘴，也不去逗沈佳仪说话。

火车停。

我们跟随满火车的游人鱼贯下车，走到观赏日出的大广场。

那天云海很厚，厚到足以藏匿一百台外星人飞碟。天空由黑转为混沌的墨蓝。

我们一夜未眠的困顿在冰冷的风中全扫而空，取而代之的，是期待看见太阳从云海中破升而起的兴奋。

沈佳仪笑嘻嘻地看着我，跟我打赌等一下有没有足够的幸运看见日出，我不置可否，还沉溺在两人共用一对手套的小小幸福里。

十几台相机与三脚架立在广场中央，不约而同对准云海，四周都是嘻嘻哈哈的情侣喧闹，行着粉红色的光合作用。

"喏，慢慢等吧，看样子还要一阵。"我递过从小摊贩买来的热豆浆。

"谢谢。"沈佳仪捧着热豆浆，珍惜似的吹气。

我心中暗暗发誓。

如果等一下太阳破升而出，万丈金黄穿过云海的瞬间，我就得把握时间牵起沈佳仪的手，进行第二阶段的"告白"——问沈佳仪要不要当我的女朋友。

胜或负。全部或归零。一百分的天堂人生或负一百分的地狱生活。

一个深呼吸中决定，就是这么一回事。

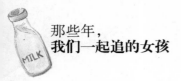
"那个，山上的空气很稀薄。"我看看正吃着肉包子的叶恩瑄。

"嘿呀。"叶恩瑄。

"氧气很少，算是稀有资源了。"我凝视着叶恩瑄的眼睛。

"什么稀有资源，你要说什么啦？"叶恩瑄皱眉。

"我刚刚发现，这里的氧气只够两个人呼吸。两个人刚刚好。"我压低声音。

"……"

叶恩瑄吐吐舌头，捧着吃到一半的肉包子光速逃开，远远地看着我奸笑。我感激地朝她比了个含蓄的手势。

就这样，沈佳仪与我站在广场中央，分享独属两人的稀薄氧气。

天空的颜色变得诡异难辨，似乎已到了破晓前夕的暧昧时分。但深墨沓滞的天色越来越淡，却不见石破天惊的日出。

"今天好像看不到日出了呢。"路人甲哀怨。

"怎么可能，阿里山的云海日出最有名了啊！"路人乙叹气，放下相机。

没有日出？今天没有日出？

没有日出要怎么表白心迹？我的心脏跟着迟迟不到的太阳埋在厚厚的云海底，沈佳仪的脸色也露出好可惜的信号，转过头看着我，叹了一口气，不说话。

我好不容易积聚的勇气，在那一瞬间完全溃散。

罢了……罢了……我叹气。

几个小时后，我跟沈佳仪撑着无精打采的身体搭着北上的火车，离开了命运大魔王击败我的嘉义。

沈佳仪要回台北，我则要回新竹交大，两个人的座位居然差了很多节车厢，连聊天都不能，我只能独自看着窗外打哈欠，在玻璃上的雾气写字。

孤孤单单的火车上，我恨恨不已，发誓下次不再倚靠随时会背叛我的自然现象决定告白的时机。

我要自己来。我要在跟我很要好的八卦山上骑着摩托车，跟坐在后座的沈佳仪大声告白……我要用吼的，用吼的问沈佳仪要不要当我的女朋友，吼到连命运大魔王都会被我的气势震到魂飞魄散。

我不能再因为一个意义不明的叹息，就提前将自己三振出局。

越想越气，我简直想把太阳活活掐死。

"喂，今天虽然没看到日出，但还是蛮高兴的啦。"

我抬起头，沈佳仪站在我面前，揉着睡眼惺忪的兔宝宝眼睛。

沈佳仪腼腆笑着，看着正在写纸条给她的我。

"不要写了，陪我说话。"

"……好吧，我有什么办法？"

"喂！"

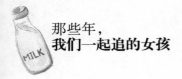
　　从嘉义回新竹后，我的脑中一直挥之不去沈佳仪在火车上找我说话的模样。她不过是离开自己的座位，走过几节车厢找我说话，如此而已。但对一个很喜欢她的男孩子来说，其中代表的一丝丝心意都值得探讨。

　　过年时许博淳从重考班放假回彰化，我们一起吃火锅，我迫不及待跟他报告我最新的进度，其中当然包括重要的嘉义往返之行。

　　"柯景腾，沈佳仪在嘉义农专说的可能没错。"许博淳烫着猪肉片。

　　"什么？"

　　"你喜欢的，或许根本不是沈佳仪。"许博淳装出一副高深莫测。

　　"他妈的你发什么病？我追沈佳仪有多用力，恐怕是你看最多吧！"我嗤之以鼻，烫着薄猪肉片。

　　"一直以来我都觉得你喜欢的，不是你眼中的沈佳仪，也不是沈佳仪自认真正的自己。"许博淳嘿嘿嘿。

　　"那是什么？难道你要说，我喜欢的其实只是他妈的'喜欢沈佳仪的感觉'？"我瞪着他。

　　"难道没有可能？你喜欢沈佳仪的时候，一直都很有精神啊。承认吧。承认也没什么啊，也没有比较不好。"许博淳哈哈笑道。

　　"我喜欢沈佳仪，也喜欢我自己，所以当然也喜欢喜欢着沈佳仪时候的我自己。"我捞起猪肉片大口嚼着，说道，"喜欢对的人的时候，我身上可是会发光的耶，谁不喜欢因为喜欢的人发光的感觉？"

是啊，喜欢对的人，身上会发光。

连续发着八年的光呢。

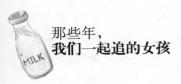
## 22

　　这个世界上，到底有没有所谓的"告白的最好时机"这种东西？

　　喜欢一个人，在什么时候告诉那个人，真的很重要吗？

　　我们看了太多好莱坞电影，看过太多日剧，看过太多言情小说与少女漫画等等，这些东西一再教育我们，告白一定要浪漫，一定要精心设计，一定要让对方眼睛为之一亮（最好还能够在荡气回肠中带点淡淡的泪光），不然就辜负了"爱情"两字之所以发生在你我之间、而不是其他人的独特意义！

　　受过长期精良的训练，我们知道告白的时机可以有很多可能。

　　例如在课堂上朗诵国文课文时突然若无其事地说出"沈佳仪我好喜欢你，请你当我的女朋友吧"这样的怪句子，或是在扫地时间一起倒垃圾时不经意将喜欢脱口而出，或是并桌一起吃便当时一边嚼着卤蛋，一边大声嚷嚷我喜欢你……一百个人有一百种爱情，意味着至少有一百种喜欢人的方式，既然如此，告白的时机也就真的千奇百怪。

　　但，吊诡的问题来了……如果女孩也喜欢男孩，那么男孩在什么时机告白，真有那么重要吗？

即使告白的方式五花八门，看起来很有砰砰响动的生命力，但如果告白的方式，竟然可以决定女孩"会不会喜欢男孩"或"会不会答应与男孩交往"，那么"喜欢的定义"就几乎与爱情脱钩，变成一种只讲浪漫花招，而不深入真正本质的东西。

所以在我心目中爱情的样貌里，如果女孩够喜欢男孩，即使男孩是一边打哈欠一边告白，女孩九成还是会答应与男孩交往，剩下失败一成几率，就是男孩有毁灭性的口臭这件事在打哈欠告白的瞬间，歼杀了女孩对男孩的喜欢。算是意外。

既然告白的方式仅仅是表象，告白的结果不会因此而改变，那么"苦苦思考告白时机"或"如何在惊喜中让对方知道自己的爱意"这些事，难道都只是愚蠢的把戏么？

不，反而格外珍贵了。

那是一种心意。

每个人都想要让心爱的对象在见识到自己的喜欢时，能够拥有最好的心情，好在记忆相本里留存最深刻的一页。所以我们挑场合，选时间，制造气氛，为了他，为了她，为了彼此。

多么诚恳的心意。

回到故事。

错过了我心中理想的告白时机，整个大一，就在继

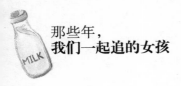
续与沈佳仪维持好友关系的模棱两可中度过。

在那个根本没有手机的年代，我在宿舍公共电话前长长的队伍里，拿着电话卡度过好多快乐的夜晚。

抽屉里沈佳仪的信件越来越厚。

为了缩短我跟沈佳仪之间致命的三公分，我时不时就往隔壁清大的游泳池跑。

为沈佳仪哼哼写写的歌，已经可以出一张精选辑了。

在这段期间，我与这群同样喜欢沈佳仪的死党们，在泳池里度过一个充满氯气味道的夏天，晒足热腾腾的阳光。此时大家一个个都知道了我对沈佳仪的喜欢，都很骇异我的心机与布局，更被我以强大友情为后盾的爱情实力给震慑住，纷纷打退堂鼓。

"所以，就只剩下我孤军奋战啰！"我笑笑，在泳池旁吃着热狗。

"柯景腾，我恨你！"廖英宏咬牙，跳水。

水花四溅中，许博淳重考上了淡江资工。

而我，办了九刀杯自由格斗赛。


九刀杯，自然是起名自我的绰号九把刀了。

是的，当了小说家后，每次遇到采访都会碰上一模一样的问题："为什么你的笔名叫九把刀？"对我的骚扰已到了黯然销魂的地步。

在此回答个痛快。

九把刀是我大学的绰号。为什么九把刀是绰号，肇因于我写了一首很无厘头的歌，歌词极简："九把刀，把它磨一磨，它就会……亮晶晶！亮晶晶！"别问我在写什么，总之这首人人都会唱的白烂歌不小心传到老师的耳朵里，老师问谁是九把刀，大家下意识都联想到我，在那一瞬间我的绰号就这么拍板定案。之后拣选笔名时我根本没有细想，九把刀便九把刀。

为什么要办什么鬼格斗赛？

我很热血，喜欢看格斗漫画，《刃牙》《第一神拳》《斗鸡》《功夫旋风儿》《铁拳小子》《柔道部物语》都是我的最爱；我小学、初中时也很爱找人打架，到了大学甚至还买了副拳击手套在寝室，对着墙壁就是一阵自 high 式、装模作样的殴打。

但我很疑惑，交通大学明明就是个近乎男校的鬼地方，为什么我所看到的同学都是一副好学生的金丝眼镜仔模样，没有杀气腾腾的男儿精神呢？难道漫画《魁！男塾》都是骗人的吗？

经过我再三深思后，我决定办一场打架比赛，来帮助积弱不振的交大壮阳一下。

"打架比赛？拜托，九把刀，根本没有人会理你的好不好。"室友孝纶举着哑铃，不屑道。孝纶是个肌肉训练狂。

"怎么可能，打架比赛耶！超转的，免费提供给想

233

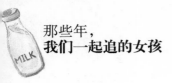
要打架、却找不到人揍的优秀青年街头格斗的机会，靠！怎么可能会没搞头？就算是收报名费也很合理！"我大呼，拿出全开壁报纸摊在床上，准备画海报。

"打架比赛听起来很 low 耶，改成自由格斗赛会不会好一点？学校就算知道了也比较好搪塞过去。"室友建汉善于行销，立刻提供像样的建议。

"就这么办。"我从善如流。

"还有呀，一定要采取现场报名。我猜一定会有人只是报好玩的，可是现场没有到的话，对决名单就要重新安排了，很麻烦。"建汉提醒我。

果然有道理，我只有猛点头的份。

"建汉你跟九把刀发什么神经，根本不会有人鸟这种烂比赛的好不好！"孝纶依旧是嗤之以鼻，枉费他平常老是想找我干友谊架。

"奖品是什么才是关键。只要有好的奖品就会吸引人来参加。"室友王义智随口说，一边遥控滑鼠从网络芳邻里抓爱情动作片。

靠，我穷死了，哪来的奖品！

"最强。"我念念有词。

王义智不解。

"'最强'这两个字，就是男子汉最好的奖品。"我满意地握紧麦克笔。

于是好大喜功的我，将这场打架比赛取作"九刀杯自由格斗赛"，并将几张海报贴在宿舍公布栏与寝室门口，时间就订在期中考刚刚好结束的当晚，地点是大剌剌的管理科学系系馆地下室！

毫不意外，这场怪异的打架比赛很快就引起了广大的嘘声。同学们一致认为是爱搞怪的我又在唬烂了，在学术殿堂、科学园区的重镇交通大学里，根本不可能有这种比赛出现。

然而大家越是不采信，我的心意就越是认真，非常逞强地想把比赛给搞定。

另一方面，身为主办人兼格斗赛选手，打架的内容可不能太漏气。我开始在寝室练拳，猛举哑铃，并幻想可能遇上什么样的对手，然后……狠、狠、揍、死、他！

"九把刀，你一定是疯子。"建汉愣愣地看着挥汗如雨的我。

"要珍惜跟疯子同寝的缘分啊！建汉，我当你报名啰哈哈！"我大笑。

期末考结束在会计学考试后的夜晚，许多同学闻风而来，挤在地下室准备看热闹。而我则跟很讲义气的室友们，在磨石子地上慢条斯理铺好巧拼地板，增加安全性，好让寝技或摔技有发挥的空间。

由于头脑很好的交大学生真的很怕打架，所以现场报名打架的仅仅有三个人，我简直傻眼，跟我预期的暴走族大会串未免落差太大。

此时，感人肺腑的事情发生了。

"干，你们真的很孬种耶，只会说九把刀不敢真的办

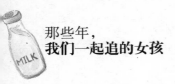

比赛，结果办了又没有人敢打，妈的，加我一个！"一
向爱泼我冷水的孝纶卷起袖子，昂首阔步走过来报名。

"看来我也不能只是耍耍嘴皮子。九把刀，我一个。"
建汉拍拍我的肩膀，脱掉上衣，露出长满长毛的史前
胸肌。

"大家都这么捧场，但他妈的我还真的不敢打！不
过我可以当裁判啦，计时的工作就交给我了，九把刀你
就专心揍人吧。"义智也抖擞起精神。

室友都这么有义气，我能说什么？

混账啊！这就是男人的浪漫啊！

"那么，身为主办人，打开场赛启动大家'真打'的
觉悟，可是我的责任啊！"我爽朗地走到现场报名的三
个参赛者前，帅气地选了一个我绝对不可能打赢的对手。

刘建伟，一个来自马来西亚的侨生，跆拳道社的红
带（没钱参加升等黑带的考试，但相信我，他黑带到不
行啊！），比我高半个头。最恐怖的是，建伟在马来西
亚曾经学过泰拳，寝室里还用链子拴吊着一个沙袋练踢
（请问你是来台湾念书还是杀人的？）。我粗陋的拳套跟
建伟的沙袋比起来，不是寒酸可以形容，根本就是个屁！

"建伟，我跟你打开场。"我说，建伟欣然下场。

全场哗然，纷纷鼓噪起来。

你问我为什么选建伟？很好。因为我是硬汉，就这
么简单。

这篇爱情小说连载至此，竟出现如此突兀的武打场

面，相信也是各位读者始料未及的。但就我的个性来说，这场格斗赛之所以发生，完全是种无法回避的必然。

这是我人生中重要的一夜。

"九把刀，你会被打死！"义智把我拉到一旁，好心提醒我，"建伟喜欢的女孩子正在旁边看，喏，就是她。在这种情况下你根本就会被打着玩。"

我顺着义智的眼神，立刻找到了建伟中意的女孩。唔，女孩是现任跆拳道社社长的女友，建伟万一输给了没学过格斗技的我，这辈子就别想追她了！

"哼，让你见识一下，什么叫做超越格斗技的草根流氓打架！"我不理会义智，大大方方走到建伟前，等待身为主持人的义智吹哨。

两人脱了鞋，站在勉强凑合的巧拼地板上。

义智走到我们中央，大声朗诵我写好的规则条文："比赛采取三回合制，每一回合一分钟，遇到流血情况则暂停，胜负由全场观众鼓掌的大小声认定产生。两位选手请注意，比赛可以戳眼、踢鸟、刺喉、甩耳光，但名誉后果自行承担……靠！还可以踢鸟？出人命我可不管。比赛开始！"

义智吹哨。

我摆起拳击姿势，而建伟则在众人的鼓掌声中笑笑以对，一派轻松。

"建伟，认真打啊！"我说，慢慢靠近建伟。

"好啊。"建伟笑笑，耸耸肩。

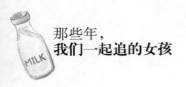
猛地，我快速冲近建伟。左拳虚构了一划，右拳悍然朝建伟的鼻子击出。

没有第二种结果。建伟愣愣地倒下，鼻血喷出！

全场爆起一阵惊呼。

义智宣布暂停，从口袋里拿出几张皱皱的卫生纸交给建伟，让他把稀哩哗啦的鼻血好好擦干净。

"建伟，这场比赛可是打真的。"我有些抱歉地看着愤怒不已的建伟，补充道，"你再不认真，就会被我干掉。"

建伟嘴巴猛骂三国语言胡乱拼贴的粗话，草率地拭去鼻血，便怒发冲冠地朝我冲来。义智赶紧宣布比赛继续。看来建伟喜欢的女孩在一旁观战的效应，实在很吓人。

"唔。"我瞳孔缩小，本能后退。

很可怕的脚！

我刚刚先声夺人，给建伟好好上了一堂课后，一下子就被建伟的快脚给扫得无法前进，心惊不已。

依照我打架无数次的经验，对手用脚踢攻击我的下场都很惨，因为一般人没事根本不会练踢腿，所以脚踢的速度都很慢，百分之百都会被我整个抓住，然后摔倒毒打一顿。

但练过泰拳、跆拳道又超强的建伟，脚力雄健，速度飞快，硬要抓的话我的手腕虎口可能会裂开！

更可恨的是，建伟的脚像鞭子，抽得我防守身体的双手都快没有感觉。这可是我此生遭遇到，仅此一次的真正"踢击"！

建伟的愤怒与认真，让全场目瞪口呆，而我则开始不甘心起来。

"王八蛋，再这样被踢下去，我的手就要报废了。"我心怒。

我不想再闪躲，直截了当迎向建伟，挥拳！挥拳！挥拳！

我要他知道每一次踢中我，都得付出代价，我可没打算躲来躲去，拖到比赛结束！

于是建伟每踢我一脚，我就想办法将我的拳头砸在他的身上，一脚一拳，算是有借有还。我的拳头绝不留力，专朝建伟的脸猛K，靠着狠劲与气势，勉强与建伟打平。

第一回合过去，我已满身大汗。

才短短一分钟，但每一秒都是剧烈的无氧运动，真的非常消耗气力，而磨石子地上的巧拼地板因为双方脚力挪动，扯得成四分五裂，散成了一块块。

休息时间我坐在地上，看着建伟冷冷地瞪着我，背脊真是一阵发寒。

"九把刀，你站着打是打不赢建伟的。"建汉蹲在我旁边，同情地看着我。

"我知道，但要把他扑倒，我的肋骨还得冒着被他的腿抽断的危险啊。"我苦笑，剧烈喘气。

如果可以把精于立技格斗的建伟逼到地上，两个人像流氓一样互殴的话，这场打架就是五五波了。知道简

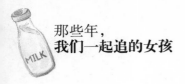
单，做到很难。

因为会痛！

辛苦的第二回合开始。我开始显露疲态，出现挥空拳的残念。习惯激烈练习的建伟却依然故我，将我的身体当作沙包，狠狠地踢、踢、踢、踢、踢、踢！

我没有机会拽住建伟的脚，或是将他扑抱在地上扭打，依旧是一场单纯的立技比赛。我根本没有机会使出我打架时最惯用的勒脖子手段，反而在接近建伟时被踹中了肚子，痛得快吐。

然后是步履维艰的第三回合。

完蛋了，我极度缺氧，连剧烈喘气的时间都腾不出来。我拳照出，但拳头里已经没有了击倒对手的精神，只是单单给予建伟威吓性的痛苦。

唯一的好事是，时间毕竟是公平的，建伟也累了。他的脚开始不够力气，踢得也没那么快。但我现在即使可以捉住他的脚、摔翻他在地上像小孩子胡闹乱打，被揍晕的九成九还是我。别忘了，建伟的手可不是残废，而他刚刚几乎都没动到手啊！

就在读秒阶段，我必须承认我心中暗暗高兴"比赛终于要结束，我也可以正常大口呼吸"时，不可思议的事情发生了。

建伟他，竟然在读秒的阶段，将右脚高高扬起……

我在格斗漫画里认识一个梦幻的格斗技：单脚高高抬起，脚跟高过对手的眼睛，然后快速下坠，用足踵或脚掌攻击对手的头顶或颜面，这招在空手道里的术语叫"踵落"，在跆拳道则称作"下压"。这招式力道很可怕，但我每次看到漫画里有人使出这招，我就很想笑，因为"踵落"要将脚高高扬起，所需花费的时间已足够对方闪躲，要命中？根本就是天方夜谭。

但就当建伟的脚掌由下而上、慢慢抬高过我的眼前时，我的反应竟然不是快速往后、往左、往右闪躲……而是自然而然地抬起头，愣愣地看着脚掌高举过我。

完全是生物本能，我就是呆呆地扬起脖子。

"踵落"！

一股浓到崩解意识的呛意，就这么沿着踵落的轨迹，压过鼻梁、坠至嘴唇直达下巴。来不及痛，我只觉得好呛好酸，眼前一阵霹雳的黑。

建伟此腿得手，开心得想再补踢一脚时，我举起没有力气的拳头，恶狠狠地瞪着建伟，装作气势爆发的假象。建伟犹豫了一下，然后后退了一步。

时间到，义智宣布比赛结束，大家疯狂鼓掌，结果当然由大占优势的建伟获得这场格斗的胜利。

我痛苦退场时，鼻子里嘴巴里都是碱碱的鲜血，嘴唇从里面被牙齿撞伤，难以愈合的伤口后来足足让我喝了好几个礼拜的广东粥。

建伟接受大家的欢呼，我则心满意足地含着染血的卫生纸，在角落休息。

够了，真的好满足。

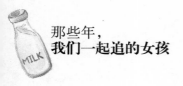
到了大学还可以在不会被记过的情况下痛快地对
殴——而且还是跟这么厉害的角色互拼，真是够痛快！
即使输了还是不减我的硬汉本色啊！

第二场与第三场的打架比赛，便在义智的帮助下顺
利结束。

我那两位室友都拿下了胜利，建汉甚至用柔道打赢
了国术社大三学长的弹腿，果然义气还是王道。然而大
家都觉得我与建伟的对决最好看，毕竟那是唯一的拳拳
到肉，双方都有"飙血"的比赛。

我真是，骄傲透顶了！

比赛结束后，我兴高采烈邀建伟与室友一同到清大
夜市吃宵夜，算是庆功。

我嘴巴里头都快痛死了，勉强与大家吃着冰豆花。
而建伟不住地跟我道歉，并告诉我还好没有在第三回合
试图抓住他的脚，不然他打算在被我抓住脚踝的瞬间飞
身旋转，腾空，用另一只脚轰扫我的脸。

"我每天都在寝室对着沙袋练习大回旋踢，一直希
望有一天能够派上用场。"建伟一脸心向往之，十分可
惜似的。

"靠！我们是同学耶！你竟然要用回旋踢这种大绝
招扫我的脸！"我忿忿大呼，随即与大家一起哈哈大笑。

回到宿舍后，我买了一包冰块冷敷我肿胀的嘴，心中只有越来越高兴的份。对我来说，比赛结束只是个开始，真正开心的时间还在后头。

幸运，在 bbs 网络上看见沈佳仪的账号。

"嘻嘻，有空吗？"我敲键盘。

"嗯啊，报告快赶完了。你怎么还不睡？"她慢慢敲道。

"怎么睡得着？我打电话给你，跟你说一件很厉害的事。"

"好呀。"

怀抱着炫耀男子气魄的心情，我打了一通电话给沈佳仪。

尽管嘴巴很痛，但我兴高采烈地将发生的一切告诉沈佳仪，巨细靡遗，不想错漏任何一个环节，每个互殴的招式都尽可能形容清楚。

沈佳仪几乎是以一种静默的态度在听着，我想她没有到现场亲眼目睹一切，或许很难感受我在场上的表现有多勇敢，于是我不断不断地强调。

"真的！超恐怖的！我第二回合被正面踹中一脚，踢在我的肚子上，超痛！我痛得快要吐了，还好我假装要出拳建伟才后退，不然我一定被踢到跪下。"我手舞足蹈。

沈佳仪还是沉默。

"其实每回合只有一分钟，可是比我想象中的还要累一百倍，想当初我还想订九回合咧，哈哈，如果那样

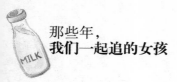
订的话，我现在大概连话筒都拿不好了……"

沈佳仪还是沉默。

"你知道什么是立技吗？就是站着打的格斗技，有人说现在最强的立技就是泰拳，我今天多多少少领教了，靠，果然够恐怖，我一靠近建伟打他，他的脚不够距离踢我，就用膝盖撞过来！我超怕我的肋骨就这样断掉……"

沈佳仪还是沉默。

"虽然建伟的脚很恐怖，像鞭子一样，但说起挨打，谁比较强还真难讲吧？我的拳头可是很硬的，只要他的脸再中我一拳，百分之百就趴在地上啦！"

沈佳仪还是沉默，真是要命。

"你知道蹭落吗？幻之绝技蹭落耶！我打架打这么久，这还是我第一次看见这么高级的动作，靠，建伟的脚高高抬起来的时候我就知道一定是蹭落了，但我还是很笨地把头抬起来，就这样……刷！碰碰碰碰，我的鼻子、人中、嘴巴、下巴，全都挂彩！"我越说越兴奋。

沈佳仪不再沉默。

"柯景腾，你到底在想什么？"她开口，声音充满了我不曾感受的情绪。

"……什么意思？"

"你办这什么奇怪的比赛？这种比赛有什么意义吗？"沈佳仪很生气。

"很有意义啊，自由格斗赛耶！你不觉得超炫的吗？两个男人之间……"我张口结舌，事情好像不太妙。

"不就是打架？柯景腾，你专程办一个比赛把自己搞受伤，这样的比赛我看不出来有什么炫，你怎么会这么幼稚？"沈佳仪越说越生气，声音听起来就像个老师。

"幼稚？"我难以接受。

"就是幼稚！很幼稚！你告诉我，这种奇怪的比赛除了把你自己跟别人弄受伤以外，到底还让你学到了什么？"沈佳仪质疑。

"哪需要学？不见得做什么事就一定要学到什么吧？"我的心被扯着，撕着。

"至少你学到办这样的比赛会受伤，而这种伤是一点也不必要的！幼稚，你真的很幼稚！你身上的伤我只能说是活该！"沈佳仪完全无法接受。

而我的情绪被堆得越来越高，越垫越厚，心头有一种难以言喻的悲怆，汹涌地翻滚着。

我不想哽住，不想忍受。

"幼稚？你知不知道这次的自由格斗赛对我来说是很棒的经验？你可不可以单纯替我高兴就好了？"我的怒气爆发。

电话那头，沈佳仪似乎愣住。

"不管是自由格斗还是打架，为什么跆拳道比赛就很正当，柔道比赛就很正当，而我办的没有规定格斗技巧的比赛就很幼稚！明明就更厉害！能够在这种比赛下还故意挑一个最厉害的对手打，需要很大的勇气不是吗？"我整个人都在爆炸。

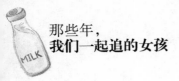
"……你以后还要办这样的比赛吗？"沈佳仪冷
冷道。

"为什么不办？一定办第二次！"我气到全身发抖。

"幼稚。"沈佳仪还是生气。

"为什么你要否定对我很重要的东西？这是我个性
很重要的一部分，你是世界上最了解我的人，难道不知
道吗？"我深呼吸。

"对你很重要的东西，竟然就是伤害自己吗？"她
冷冷道。

深深地，刺痛了我。

呜呜旋转进心肉，无法拔出的痛苦颤抖。

"我很难受。"我流下眼泪，不再生气了。

取而代之的，是一种无法被了解的伤心。

"我好像，无法再前进了。"我哭了出来，"沈佳仪，
我好像，没有办法继续追你了，我的心里非常难受，非
常难受。"

泪流不止中，我做出这辈子最重大的决定。

电话那头的沈佳仪并没有沉默，她很快就回答了我。

"那就不要再追了啊！"她也很倔强，让我几乎握
不住电话筒。

我们结束不愉快的对话。

我回到电脑前，在号啕大哭中敲打键盘，写了一封
长信给沈佳仪说再见。

再见，再见，再见。

你永远都看不见我放弃的背影有多么伤心，我的幼稚出自我热血的根性，就是靠着这股热血，我才能喜欢你这么久。

而这份热血，竟成了你否定的无谓存在。

八年了，喜欢沈佳仪第八年了。

初中三年，高中三年，大学两年，喜欢这个女孩的每一天都让我朝气十足，每次从睡梦中醒来都知道今天生存的意义。让我快乐。让我在这个世界上有非常在意的事物。让我今夜痛哭失声。

在人生某个关键点上，我明白了沈佳仪与我之间个性的矛盾。这个矛盾我早已知道，身边的朋友也不断地提醒我，但我总是以为正经八百的沈佳仪与搞怪冲动的我之间的矛盾，并不是互斥，而是一种反差的浪漫。

人生没有意外，只能说是命运使然。

错过了听见神奇魔咒的时机，却因为一场荒谬又热血的怪比赛，让我与深深喜欢的女孩从此在爱情的路上分道扬镳，各自化作一条线，在不同的人生路上奔驰。

奔驰，却又彼此缠绕。

不久后，我交了女朋友。沈佳仪也交了男朋友。

但我们之间的故事，却没有因此结束。

八年的喜欢，让我们之间拥有了更深刻的联系。

比情人饱满，比朋友扎实。

那是，羁绊。

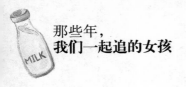
那些年，
**我们一起追的女孩**

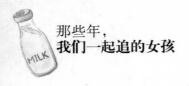

# 23

我们总是在这个世界上，寻找跟我们"连结"的另一个人。

连结的方式有很多种，有的连结是一种陪伴，有的连结是一种相互取暖，有的连结则是一种淡淡的默契。

而透过爱情而连结的伴侣，则是我们最向往的关系。

在安达充的经典漫画《H2 好逑双物语》中，矮雅玲一个头的比吕，最后在身高追过雅玲后，还是没有能够跟雅玲在一起。

漫画如此，你们所见的更不是一本虚构的小说，而是我跌跌撞撞的真实人生。

我只能尽力，并不能真正掌握住永远暧昧不清的结局。

而我，跟沈佳仪的追逐依旧停留在无法跨越的那三公分，很辛苦的三公分。

放弃很苦，真的很苦。苦到我完全想象不到任何比喻去装载它。

在我学习、或者说习惯"不能跟沈佳仪在一起了"的日子里，我也得重新连结自己与沈佳仪之间的情感。多半是刻意回避吧，我有好长一段时间没有再见到沈佳仪，只是在电话里头祝福沈佳仪与她的男朋友，听她缓缓诉说他们之间的相处，就像……真正的朋友一样。

而我。与我在一起的女友，匿称叫毛毛狗。

与毛毛狗交往，对我来说是个很难形容的爱情经验。我在追求沈佳仪的八年岁月里消耗了许多气力，个性里许多疯狂的质素都已烧尽，因此我以一种平平淡淡的节奏，重新去学习喜欢另一个女生。

这一喜欢，又是另一个漫长的八年。

人生永远比虚构的小说更离奇。就在我与毛毛狗在一起几个月后，沈佳仪跟男友竟然草草分手了。我在电话这头听到这个消息，精神整个抖擞起来。

"未免也太快了吧，为什么会分手？"我惊讶，心情却很好。

"喂，你干吗装出惊讶的样子？你听起来一点也不觉得有什么奇怪。"沈佳仪的语气也没什么伤心。

"你没有选我，却选了他，那么他应该是一个比我还要好的人。说实话我觉得自己已经非常不错了，但他显然更好不是？怎么会对这样的人提出分手？"我有些难以想象。

"要跟谁在一起，这跟他好不好关系不大吧？主要还是感觉。"沈佳仪顿了顿，慢慢说，"其实从很久以前，我就在猜你是不是在喜欢我了。"

"可是我装得很像吧？"我笑。

"不管你装得再怎么像普通朋友，我还是可以感觉到你对我的喜欢……不，应该说是重视。"沈佳仪一个

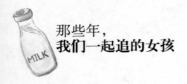
字一个字慢慢强调，"你对我，很重视。"

"……"

"让我觉得，自己很幸福。"

某种沉重的情感压迫我的胸口。我的呼吸骤止。

"从来，就不讨厌吗？"我吐出一口长气。

"怎么可能……我很喜欢，你喜欢我。"她小心翼翼说道，像是话中每个字，都有独特的重量。

那重量挤压着我。我沉默了很久，沈佳仪也没有说什么。

许久。

"那，你还是没有说为什么分手啊？是他对你不好吗？还是你又喜欢上了另一个男生？"我故作轻松。

"都不是。我只是觉得，他不够喜欢我。"电话那头，沈佳仪若有所思地叹气，"其实我也知道自己这样不好，但就是无法不提出分手。经历过你是怎么喜欢我，就会觉得其他人对我的喜欢，无论如何都没办法跟你相比……"

我的灵魂一震。

"原来被你喜欢的感觉，真的很幸福。我以前都觉得太理所当然了。"沈佳仪幽幽说道，"这是我的报应。"

"如果你在几个月前告诉我，我不知道会有多开心。"我的声音很虚弱。

"现在告诉你，难道你就不开心吗？"沈佳仪哈哈笑了起来。

"……"我苦笑，"非常非常的开心呢。"

开心到，我只能做出苦笑这样的反应。

我能怎么样呢？我已经退出了与沈佳仪的爱情，守在一个名为"友谊长存"的疆界。这个疆界里，有最充足的愉快阳光，如果我们需要，随时都可以毫无芥蒂地拍拍彼此的背。

这是块，真正不求回报的土地。也是我始终没有离开过的地方。

"我也很喜欢，当年喜欢着你的我。"我只能握紧话筒，慢慢说，"那时候的我，简直无时无刻都在发光呢。"

"谢谢你。"她说。


上了大学的我们，一个个退出追求沈佳仪的世界。

到了大三，除了实力最强的我与阿和，参加北医慈济青年社（想也知道为什么！）的谢孟学追到了吃素的女孩，展开终生吃素的崭新人生。参加逢甲慈济青年社（真是善良啊！）的杜信贤也交了女友，对喜欢沈佳仪的过去只剩下一个微笑。

那年过农历年的例行聚会，我们一群人围坐在地上玩纸牌赌钱，话题还是在沈佳仪身上绕来绕去。

"咦，看样子'可以喜欢沈佳仪的人'只剩下廖英宏啰？"许博淳说，拿着纸牌环顾四周。

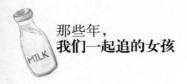
"哈哈，对啊，不介意换我追沈佳仪吧？"廖英宏嘿嘿笑道，"对手越剩越少，而且我最近常常打电话给沈佳仪喔。"

"追啊，交给你了。"我爽然一笑，将牌盖住，"不跟了。"

"有本事你就追啊。"阿和不置可否，将筹码推前，"我梭哈。"

于是廖英宏急起直追，每天晚上都打电话到沈佳仪的学校宿舍里，用他的方式，慢慢地磨，磨啊磨……

在某个夜里，沈佳仪打电话给我，告诉我她决定跟廖英宏在一起了。

"我第一个告诉你。"她说。

我没有太讶异，因为廖英宏的确是个很棒的人，更是我的死党。喜欢沈佳仪的资历厚厚一叠，里面写满被我陷害的暗黑记录。

"啧啧，我燃烧八年青春都追不到的女孩，他办到了，真的非常了不起。"我尽量用最不在意的语气，告诉沈佳仪，"要好好对我的朋友啊，他可是非常非常喜欢你呢。"

"嗯。"她只是简单应了声。

挂上电话，我心情之复杂全写在脸上。

毛毛狗捧着热茶走了过来，问我发生什么事，我只是笑笑说没什么。

然后第二通电话打来，是廖英宏兴奋的狂吼。

"柯腾！沈佳仪刚刚在电话里答应当我的女朋友啦！"廖英宏按捺不住的喜悦，看样子是迫不及待用电话通知每一个死党了。

"真的吗！你真是太厉害了！"我跟着笑了起来。

"祝福我！快！祝福我啦！"廖英宏的声音激动不已。

"废话，你们一定会很幸福的啦！"我深呼吸，朝着话筒大吼。

廖英宏挂上电话，往下一个死党报信去。


两个月后，连牵手都没有，廖英宏与沈佳仪分手了。

好像，根本没有在一起过似的。

在跟我们叙述分手的错愕时，廖英宏好像还无法置信似的，表情超呆，不断地喃喃自语。我想笑，却又不敢。

"妈的，这就跟打麻将一样。"阿和却是狂拍大腿猛笑，做了以下的注解，"我最早听牌，柯腾则是硬要过水等自摸，廖英宏则终于胡了牌，可是仔细一看，却是个诈胡！"

是啊，诈胡。

可我连个诈胡都没有过……

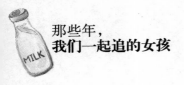
那些年，
**我们一起追的女孩**

257

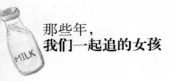

# 24

在廖英宏莫名其妙触礁后，中秋节前夕的某个夜晚，地震了。

当时我趴在寝室上铺看书，突然一阵天摇地动，整栋宿舍像块大豆腐般剧烈摇晃，而且好像没有要停止的迹象。

毛骨悚然地，从大楼的墙壁梁柱发出了轰隆声响。

"这地震太恐怖了吧！"我坐直身体，看着从睡梦中惊醒的对面室友王义智。

"干！快逃！"王义智大叫，一个翻身就从上铺床往下跳。

"好扯。"建汉愣愣地，观察我们的反应。

"九把刀你还不快逃！我们在三楼耶！"石孝纶回过神，对着我大叫。

于是我们四人飞快跑出寝室，走廊上都是拔腿就跑的住宿同学，大伙在奇异的摇晃中冲下楼，跑到宿舍外的广场。

广场上早就站满了从各宿舍逃亡出来的人，大家都在讨论这次地震怎么会这么久、这么强，并开始猜测震央的位置，以及押注明天会不会停课。

明明很可能是场可怕的灾难，但大家却沉浸在热烈的议论纷纷中。直到有人从广播里听到震中可能在台北、并且极可能造成史无前例的灾情时，大家才从热烈的气氛中惊醒，开始猛打电话回家问平安。

我空拿着手机焦虑不已，因为对外通讯几乎呈现塞满的状态。我不停按着重播键，反复打回家、打给女友、打给沈佳仪，却只听见仓忙急促的嘟嘟声。

好不容易联络上家人与女友，知道两家一切无恙后，我却一直联络不上沈佳仪。随着周遭关于地震的谣言越来越多，可疑的震中说法五花八门，但都没有去除过台北。我的心越来越不安。

公共电话前的队伍非常长，等到轮到我的时候肯定天亮。

"九把刀，要不要换个地方打！"石孝纶晃着手机，建议，"这里人太多了，基地台超载，我们骑车出去，往人少的地方打看看！"

"这理论对吗？"我狐疑，双脚却开始跑向车棚。

"不知道！"石孝纶斩钉截铁，也跑向车棚。

我骑着机车离开交大，往竹东偏僻的地方骑，时不时停下来打手机，此时街上全是穿着内衣拖鞋走出来聊天的人们，似乎是全市停电了，街上朦朦胧胧。

直到接通沈佳仪的手机，已经过了好久好久。

"你没事吧？"我松了口气。

"没事啊，只是刚刚的地震真的很可怕。"沈佳仪余悸犹存。

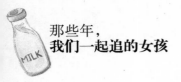
"你没事就好……听我住在台北的同学说，他们家附近的旅馆倒了下来，所以震央说不定真的在台北？吁——总之，你没事，真的太好了。"我将机车停在路边，熄火。

一抬头，满天悲伤的星火。

"你呢？在学校宿舍吗？"

"不算。刚刚挺恐怖的呢，整栋楼好像要拔出地面自己逃跑一样。"

"你真好。到现在还是那么关心我，我真的很感动。"她幽幽说道。

"感动个大头鬼，你可是我追了八年的女生耶，你不见了，我以后要找谁回忆我们的故事啊。"我哼哼，故意扯开情绪。

好不容易接通，我可不愿就此挂上电话。

由于我喜欢沈佳仪的"历史"实在是太久了，女友心中对沈佳仪始终存有芥蒂，为了避免跟女友吵架，我跟沈佳仪之间的联络越来越少，联络越少，可以聊的话题就变得很局限，甚至到了两三个月才联络一次的稀薄。

但我却因此更加珍惜可以聊天的时间。例如现在。

借着一场排山倒海的大地震，那夜我们像以前一样，东拉西扯聊了起来，许多高、初中时代的回忆被一鼓作气打翻，泄了满地。

我的情感，也被莫可名状的魔法缠卷包覆，在跌宕的回忆里打滚。

沈佳仪舍不得挂电话，我也不介意被风吹整夜。

　　"记不记得在大学联考分数公布那晚，你曾经问过我，愿不愿意听你的答案？"我顺着风向问道。

　　"当然记得啊，我想讲，但你硬是不肯听。"她可得意了。

　　"我那个时候没有勇气，现在不一样了……我想听。"

　　"你啊，错过了大好机会呢。"

　　我莞尔。

　　"那个时候我就不明白，为什么你不肯听我说喜欢你，想跟你在一起呢？你求我别讲，我也就不想自己说了。"

　　"……"我从莞尔变成苦笑。

　　"柯景腾，你总是太有自信，口口声声说总有一天一定会追到我、娶我，却在面对答案的时候很胆小呢。"她嘲弄着我。

　　"因为当时我太喜欢你啦，喜欢到，如果你的答案将我拒于千里之外，我会不知道自己该怎么面对你……面对我自己。"我很老实，搔着头。

　　"不过我也有错。"

　　"喔？强者沈佳仪也会犯错？"

　　"什么强者啊？"她噗嗤一笑，"常常听到别人说，恋爱最美的部分就是暧昧的时候，等到真正在一起，很多感觉就会消失不见了。当时我想，你不想听到答案，干脆就让你再追我久一点，不然你一旦追到我之后就

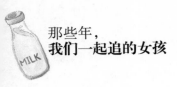
变懒了，那我不是很亏吗？所以就忍住，不告诉你答案了。"

"可恶，早知道我就听了。"我恨恨不已，"所以我们重复品尝了恋爱最美的暧昧时期，却没吃到最后的果实。混账啊，你果然要负一半责任。"

"还敢说……谁知道那个老是说要娶我的人，竟然一点挫折都受不起，骂两句就嚷着放弃，没几天就跑去交女朋友。好像喜欢我是假的耶！"她糗我。

"哈，不知道是谁喔？竟然用光速交了男朋友这种方式来回应我呢。说我幼稚，自己也没好到哪里去嘛！"我糗回去。

我们哈哈大笑，畅怀不已。

哔哔，哔哔……我的手机发出电量即将用罄的警示声。

"快没电了。"

"谢谢你今晚，会想到要打电话关心我。"

"嗯。我才要谢谢你告诉我当年的答案，说真的，我松了口气，你的答案让我知道我对你的喜欢，原来一直都是有回应的，而不是我一个人在跳舞。这对我很重要。"我看着城市上空的红色星光，说，"我的青春，从不是一场独白。"

"你说得真感性，也许有一天你会当作家喔。"

"那么，再见了。"

"等等……"她急着说。

"喔？"

"如果手机没有突然断讯，再让你听见一个，应该会让你臭屁很久的事吧。"

"洗耳恭听。"

"自从你交了女朋友，我还以为你对我的喜欢，迟早都会让你跟你女朋友分手，那时就可以名正言顺跟你在一起了。结果等啊等，你们一直都好好的，让我很羡慕，可是也没办法。"

什么跟什么啊？但我还真的很感动。

然而人生不是一个人的，喜欢，也不是一个人的。

我已经将另一个女孩嵌进我的人生，那女孩的人生亦然。我无法掉头就走，那也是我珍贵守护的爱情。

"没办法，我就是这种人。一旦喜欢了，就得全力以赴。"我承认。

"是啊，我喜欢你是这种人。但其实今年愚人节，我原本要打电话给你，问你想不想跟我在一起。"她的语气轻快，并没有失望。

"真的假的！"我大吃一惊。

"真的啊。如果你回答不要，那我还可以笑着说是愚人节的玩笑。如果你点头说好，那么，我们就可以在一起啦。"沈佳仪大大方方地说。

瞬间，我整个人无法动弹。

"一点，都不像是沈佳仪会做出来的事耶！"我讶然。

"是啊，所以够你得意的吧，柯景腾。"她逗趣。

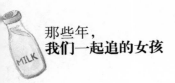

几乎无话可说，我内心充满感激。

尽管我无法给她，她所希望的爱情答案，然而我深深喜欢的这个女孩，并没有吝惜她的心意，她将我错过的一切倒在我的心底。

暖暖地溢满、溢满。

"少了月老的红线，光靠努力的爱情真辛苦，错过了好多风景。"我真诚希望，"也许在另一个平行时空，我们是在一起的。"

"……真羡慕他们呢。"她同意。

沈佳仪的声音，消失在失去电力的手机里。

我没有立刻发动机车，只是呆呆地回忆刚刚对话的每一个字，想象着久未谋面的她，脸上牵动的表情。真想凝视着沈佳仪，看着她亲口说出这些话的模样。

夜风吹来，淡淡沾上我的身，又轻轻离去。


一九九九年九月二十一日，凌晨一点四十七分，台湾发生芮氏规模六点八的强烈大地震。

那夜，二十一岁的我，心中也同样天旋地转。

我与她之间的爱情，总算有了个不圆满，却很踏实的句点。

最近发行唱片的地下乐团"苏打绿"，有首《飞鱼》的歌词很棒："开花不结果又有什么？是鱼就一定要游泳？"

　　没有结果的爱情，只要开了花，颜色就是灿烂的。

　　见识了那道灿烂，我的青春，再也无悔。

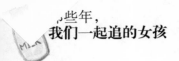
# 25

电影《阿甘正传》说："Life is like a box of chocolates. You never know what you're gonna get."人生就像一盒巧克力，你永远不知道自己会吃到什么口味。

电影总是装了很多经典名句，试图教导我们应该用更宽大的眼睛看待人生，等待成为我们的座右铭。

但我们只是表面赞扬这些句子的荡气回肠、隽永意长，却只能以一种方式真正拥抱它：豪爽地将自己的人生换作筹码，愉快地推向上帝。

我们的心可以坚似铁，又保持随时接受意外着陆的柔软。

一九九九年底，杂书看超多的我，顺利通过了清大社会学研究所的笔试。

到了口试关卡，需要一篇"社会学相关的作品"给教授们审阅，但我之前念的是管理科学，不是社会学系本科，所以在准备口试作品上遇到了困难。

怎办？我想了又想，与其含糊地写篇不上不下的短论文，不如来写点有趣的东西。没错，社会学所的教授们，不该都是很聪明、很风趣的么？

于是我写了生平第一篇小说——号称具有社会学意义的《恐惧炸弹》前六章，充抵学术论文。这篇小说内容叙述一个大学生一早醒来，发觉周遭环境的声音、语言、文字等所有象征符号都失去原有的意义，文字变成扭曲的小虫，声音变成不规则的噪音，该大学生于是在无穷回圈的焦虑中，重新确认符号归属的可能。是篇带有伊藤润二气味的恐怖科幻小说。

我越写越有心得、不能自拔，还在资料上附注了这是一系列具有社会学意识的故事，叫都市恐怖病，还洋洋洒洒写了六个预定创作的小说名称，与未来三年的出版计划。

到了口试当天，教授们却摸不着头绪，一个个给我窃笑。不知道是感受到《恐惧炸弹》小说里的幽默，还是那天身上长了跳蚤。

"柯同学，你交这几页小说是认真的吗？"一位教授若有所思看着我。

"超好看的啦！这个小说虽然还没写完，但已经可以看出社会学意义的潜质，我发觉在小说创作中实践社会学，真的很有意思……"我滔滔不绝地解释。

"等等，你罗列了很多出版计划，请问你之前有相关经验吗？"胖教授质疑。

"没有。但我的人生座右铭是：If you risk nothing, then you risk anything. 如果你一点危险也不冒，你就是在冒失去一切的危险。"我自信满满竖起大拇指。

"所以呢？"教授翘起腿。

"我觉得只要我不放弃小说创作的理想，出版计划

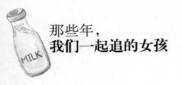
迟早都会付诸实现。"我笑笑。

于是，我落榜了。

有很多年，我再也不想不起那一句座右铭的全文。

电话中。

"所以，你要去当兵啰？"沈佳仪。

"不，我有更重要的东西，一定要先完成。"我信誓旦旦。

"什么东西？"她讶异。

"可能成为我人生的，很了不起的东西。"我看着电脑萤幕上，刚刚贴上网络的未完成小说。

我决定延毕一年。

继为了李小华念了自然组、又因为沈佳仪念了交大管理科学系后，重考研究所的那年，我的人生再度出轨。

这一次，没有人告诉我应该怎么做，而是某种内在的强烈召唤。

我用每个月两千块含水电的梦幻代价，向家教学生的家长租了一栋三楼老房子，老房子的主人是个经常云游四海的女出家人，我算是帮这位师父看守她的故居结界。

在这个超便宜的租屋里，已爱上了写小说的我，不仅完成了当初没写完的《恐惧炸弹》十万字，还一路写了好几篇中篇小说，《阳具森林》《影子》《冰箱》，直到隔年的研究所考试快骑到头上，我才赶紧拎起书狂啃，却又忍不住在深夜偷偷写起长篇小说《异梦》。

《异梦》完成的瞬间，我的眼泪崩溃决堤。我知道在某种意义上，我确认了自己与小说创作之间的"连结"，透过了情感与文字完成了。

从此我与小说，有了无比重要的羁绊。

透过小说创作，我可以将我想要表达的许多东西精密拆卸、组合在文字分镜里，呈现在公开发表的网络上，借此与地球上更多人"连结"。那是我再也无法克制的欲望。

我终于拥有了，真正的梦想：成为故事之王。

创作人与故事之间浇输养分的脐带，是很多很多的自我填补其中。片段的，完整的；自觉的，无意识的；表演的，使命的。

而我将对沈佳仪的情感，一点一滴写进了小说《月老》等故事里，更将许多朋友的名字镶嵌进好几个故事中，聊表纪念。而我知道，终有一天我会将我们这几个好朋友与沈佳仪之间的青春，装在某一部最重要的小说里。

这篇小说将不再是小说，而是一部好看的真实记录。如同各位所见。

我一直思索着这份青春记录该在何时动笔，却没有答案。

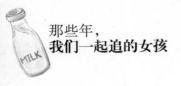
有人说，一个人的一生是好是坏，端看他咽下最后一口气时的觉悟，仿佛结局就是一切，过往种种皆不作数似的。类比到小说创作上，我某种程度同意这样的说法——荡气回肠的结局，可以为故事添上柔软又强壮的翅膀，在最后关头领着一万颗心扶摇直上。

我习惯仗着对故事结局的洞悉力，往前推演出一个具有张力的结局，所需具备的种种元素，乃至故事环节的节奏铺排……例如谁需要说过什么话当作伏笔、谁做的哪些事会影响到主角的决定等等。

但这份青春记录，就因为希望充满最真实的气味，所以竟因欠缺了结局，让我无法看见这个故事"该怎么呼吸"，因而迟迟无法开展。

自创作小说后，六年过去了。

从初中就开始认识的我们，已经打打闹闹了快十六个年头。

人生无常，我最可敬的爱情敌手，阿和，他深爱七年的女友不幸车祸过世。阿和一直没有再交新女友，研究所毕业后，成为掌握千万订单的中科业务代表。

一直被我陷害的廖英宏当兵前通过了图书管理员特考，下个月退伍。诈胡后，他在爱情的航道上持续浮浮沉沉，但始终没有放弃找到生命中的"那一个人"。

与吃素女友稳定发展的谢孟学当了牙医，由于我以前常陷害他，所以我绝对不到他的诊所拔牙。我可不想听到"什么？你要打麻醉？男子汉不需要这种东西啦！"

这样的烂对话。

英文很烂的许博淳玩起大冒险，决意去美国念资工硕士自残。许博淳启程前，我们买了一瓶一九九〇年份的红酒，象征公元一九九〇年认识的大家，大家喝得很痛快。

拖到最后一刻，才宣布原来也有向沈佳仪告白过的杨泽于，明年也要跑去美国念博士，与即将回台的许博淳换手。

一直用最腼腆方式喜欢沈佳仪的杜信贤，跑到南港当程式设计师，他考上研究所、当完兵、找到好工作都没请过客，希望他看到这篇小说时能够好好反省。

总是在抓痒的老曹，工作一年后跑去清大念硕士。许志彰搬家了，当年放学后大家相约打球的神奇院子从此只存在于记忆。怪怪的张家训总算放弃纠缠沈佳仪，交了女朋友。跟我同年同月同日生的李丰名，与当年一起在信愿行洗碗认识的女孩分手，准备继承家业。二十七年来都没有打过手枪的赖彦翔，持续没有打枪的意愿，最近在练习魔术搭讪女生（别傻了！）。

大家都起飞了。

几个月前，身为小学老师的沈佳仪，打了通电话给我。

"柯作家，最近过得怎么样？"她的声音，久违了。

"超惨，毛毛狗跟我分手了。怎么？你要再给我追一次吗？"我慵懒。

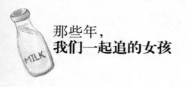
　　她愣了一下，随即哈哈大笑。

　　"这次恐怕不行喔。"她幽幽道。

　　"又错过我的话，下一次就是……"我还没说完，挖着鼻孔。

　　"六月。"她接口。

　　"？"

　　"六月，我要结婚了。"她宣布。

　　我莞尔。

　　真想，给她一个拥抱。

　　然后给我不认识的新郎，一个勇往直前的屁股突刺。

　　"新郎……应该是大你很多岁的男人吧？"我猜。

　　"咦，你怎么知道！"沈佳仪大吃一惊。

　　"我想你再也受不了幼稚的男孩啊。"我大笑。

　　她笑着反驳，我热烈回讥。七年前的我，根本想象不到这样的画面。

　　新郎大了沈佳仪八岁，是个典型事业有成的中年男子。沈佳仪一向比同龄的女孩成熟许多，看来是再适合不过。

　　我心爱的女孩，也要展动翅膀了。

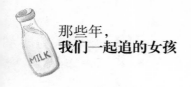
# 26

　　"新婚快乐，我的青春。"我写在红包上的祝福。

　　婚礼那天，当年所有喜欢沈佳仪的男孩们全都到齐，连久违的周淑真老师也驾到，一起见证沈佳仪从女孩变成人妻、行情暴跌的历史画面。

　　这根本就是场盛大的老同学会，到访的有一半都是在爱情路上"志同道合"的难兄难弟……只能看着沈佳仪车尾灯的手下败将。我们合拍一张怨念十足的照片。

　　许博淳人在美国，我在纸立牌上画了一个笑得很白痴的他，放在桌上，每上一道菜大家就大声嚷着："许博淳！上菜啦上菜啦！"我们嘻嘻哈哈，兴奋到随时都会掀桌暴动。

　　"真是的，我一直都以为柯景腾你会跟沈佳仪在一起呢。"周淑真老师摇头，"亏你还跟沈佳仪一起到我家喝茶，真不中用。你们全部都很逊！"

　　"老师，其实沈佳仪跟我告白过啦，只是吼，哈哈哈！"我猖狂大笑。

　　"报告老师！柯景腾只是嘴巴说说，我才是真的追到过沈佳仪的人！"廖英宏为大家倒酒，吆喝干杯。

　　"得了吧，你那个是诈胡！连手都没有牵过的诈胡！"阿和毫不客气回敬。

大伙开始乱七八糟讨论起，等一下该怎么捉弄沈佳仪。

"等一下灯光暗下，新郎进场时，张家训你伸脚偷偷把新郎绊倒啦！"我用力拍着张家训的肩膀，"反正你脑袋怪怪的，做什么大家都会原谅你的！"

"我才不要，最后跟新郎合照的时候偷偷踩他的脚就好了。"张家训歪着头，想了想，"这样比较成熟。"

成熟个屁。

"等一下好友上台发言时，廖英宏你去讲几句话，要转一点喔！"阿和推举。

"那我就拿着麦克风，很正经地说：勉强的爱情是、不、会、幸、福、的。哈哈！"廖英宏一说，大家笑得前俯后仰，连周淑真老师也笑到快岔气。

我灵机一动，跑去跟曾暗中帮助过我的沈佳仪的姐姐千玉，要了一支奇异笔。

"别动，我们来恶搞。"我在廖英宏的额头上，画了一条黑色的青筋。

"换我帮你。"廖英宏乐得很，也帮我再画了条又肥又粗的青筋。

我们两个"面露青筋人"大刺刺地在婚礼上走来走去，张牙舞爪地装不爽，惹得千玉姐姐骂我们真是幼稚的小鬼。

是啊，我们就是小鬼，所以才会追不到你妹妹呀，

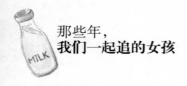
哈哈。

婚礼正式开始，灯一暗，庄严的音乐扬起。

沈佳仪穿着一身典雅的白纱，在聚光灯下缓缓走过我们，抿嘴，偷偷对着大家摆摆手。

真美，聚光灯根本就是多余的。

是我看过，最美丽的新娘子了。

腼腆的沈佳仪低着头走到台上，由沈爸爸亲手交给新郎，全场掌声不断。我们又回复到嘻嘻哈哈的乱欢乐，讨论起婚礼结束要怎么跟沈佳仪与新郎合照。

"柯景腾，前几天我打电话问过沈佳仪了，她说合照时可以亲新娘耶！"阿和得意扬扬，大伙点头称是。

"亲新娘，可以伸舌头吗？啦啦啦啦啦……"我开玩笑，伸出舌头乱搅空气。

"新郎都不会生气的话，我们每个人都去亲吧！"没追过沈佳仪的李丰名摩拳擦掌，看着赖彦翔，"你没亲过女生哅？初吻就献给沈佳仪好了！"

"那我们来猜拳，赢的人亲第一个！"廖英宏鼓噪，气氛又开始热烈起来。

我却开始神秘地沉默。大家都要亲的话，我就绝对不亲新娘。

我希望，在沈佳仪的心中，我永远都是最特别的朋友。

幼稚的我，想让沈佳仪永远都记得，柯景腾是唯一没有在婚礼亲过她的人。我连这么一点点的特别，都想